〈私〉を取り戻す哲学

岩内章太郎

講談社現代新書
2730

まえがき

数年間、妻に養ってもらっていたことがある。健康保険証も妻の勤めていた銀行のものだったので、正真正銘の扶養家族。妻のお金でご飯を食べながら、哲学の勉強をしていたのである。修養期間が割と長い研究者界隈では珍しいことではないし、自由なパートナーシップが推奨されている現代社会なのだから、恥ずかしいことでもない。

が、小さい頃から頭の中にあった生き方からはかけ離れていたので、それなりに悩んだ期間でもある。昨今のジェンダー論に逆行するようだが、私は男らしい男になることを目標にしていたのだ。極めて漠然とした目標だが、端的には、精神的にも経済的にも自立して、家族を支えるような男性像である。ウエイト・トレーニングで身体を鍛えるのも、何となく男の理想に近づいているような気がして、気分がよかった。ろくに働きもしないで、頭と身体をやみくもに鍛えていたわけである。

アルバイト先のお客さんからは、いつまで奥さんのお金で遊んでいるの、早くしっかりしなさい、と冗談混じりの説教を受けた。駅前の銀行に赴き、クレジットカードを作ろうとしたら、主婦は認められるが主夫は認められない、と追い返された。何をしているのかを聞かれると、ヒモをやっています、と自虐的に答えたりもしていた。信用商売の行員の妻は、私よりももっと大変な思いをしていたにちがいない。それでも、妻はそういう苦労を一切口にしなかった。

扶養に入る前、心の調子を崩して、東京の大学院を退学し、札幌に帰っていくつかの仕事を転々とした。しかし、結局、どの仕事にも身を入れることができず、将来の展望はますます暗くなった。母のお弁当を持って、アルバイトに行く。帰宅して、なけなしの金で酒を飲む。酔っぱらって、当時付き合っていた妻にウィルコムで電話をかける。単調な毎日の繰り返しである。莫大な費用をかけて東京の大学を卒業し、一体何をしているのだ、と、周囲の視線が痛かったが、誰よりも自分自身がそう感じていた。昔の知り合いに会うのが怖くて、外に出るのが億劫だった。

お金がないから東京に戻ることはできない。かといって、札幌でやりたいこともない。友人たちの多くは就職し、飲み会などでは仕事の話題が中心になる。学生の時分に比べると、飲み会の単価も上がっていて、精神的にも経済的にも参加するのが苦しくなった。そうして、昔の関係性が少しずつ遠のいていった。誰も悪くないし、しょうがない。しかし、誰も悪くないからこそ、その現実と向き合うのが、きつく感じられたのである。男の理想は破綻した。

妻や親からの援助を受けて、何とか東京に戻った私は、修士課程からやり直すことになる。お世話になった哲学の先輩は、私を支え続けた妻を「聖母マリア様」と形容した。たしかに、ふつうは見捨てられてしかるべき男だ。ちなみに、いつか妻はそれを私への「投資」だと言っていたが、その投資は成功したのだろうか。それは現在の妻に判断してもらうほかなさそうだ。まだまだ、成長株だと願いたい。

あれから十年以上たって、結果だけ見ればオーライだが、あまりスマートな生き方とは言えないだろう。もっと別のやり方もあったはずだ。たとえば、札幌に戻る直前、神保町のさぼうるという喫茶店で、退学ではなく休学を勧めてくれた父の提案を、私は突っぱねている。あのとき、休学を選んでいれば、もっとすんなり大学に戻れたはずだ。十数年前のさぼうるに戻れるなら、頑なに退学を選ぼうとする私を説得したい。今は亡き父の判断は正しい、と、そう言ってあげたい。

大学院を退学してから扶養を抜けるまでの期間、私を悩ませていたのは何だったのだろうか。社会的承認や将来の展望がないのはもちろん辛かったが、本質的には、それは「自己イメージ」だった気がする。すなわち、私はこういう存在である、というイメージが私を苦しめたのだ。昔の自分のイメージにとらわれることで、私は私が分からなくなり、私は私が嫌になってくるのだが、それだけでは済まない。自己イメージを介してつながっていたそれまでの関係性も、変わらざるをえないからである。つまり、知人や友達がいなくなっていくのだ。

注意すべきは、彼らが私を拒むのではなく、むしろ私が彼らを拒んでいる、ということである。私は私を見せるのが恥ずかしい。無職の私、被扶養者の私を私自身が恥ずかしいと思っていたのだ。逆に、以前と変わらずに会うことができていた友人は、私のことをいい意味でどうでもよいと思っている。だから、私はカッコつける必要がなく、扶養に入っているという話が酒のつまみにさえなる。どうやら、私は私に苦しんでいたらしい。このことに気づいたのは、つい最近である。そして、この体験が本書のライトモチーフになっている。

さて、本書のテーマは〈私〉である。私（岩内章太郎）とは区別するために、それぞれにとっての自分自身を〈私〉と表記することにしよう。これは、哲学的に言えば、近代哲学の父と呼ばれるルネ・デカルト以来の古典的なテーマである。「我思う、ゆえに我在り」というデカルトの格言を聞いたことのある人もいるだろう。

だが、本書はデカルト論というより、現代社会論に近い性格を持っている。というのも、私が分析するのは、サイバースペースで情報や他者と広くつながることができるようになった現代社会と、そこで失われつつある〈私〉の存在だからである。二つのテーゼがある。

（一）〈私〉の認識は一面的であり、完全なものではありえない。また、〈私〉の存在は「弱さ」や「脆さ」を抱えている。それゆえ、〈私〉は、認識においても存在においても、有限であらざるをえない。

（二）〈私〉の自己イメージを自由に操作することで、〈私〉の存在感は薄れていく。〈私〉の実在の本質条件は、〈私〉の自由にはならないものから受ける「抵抗」と、それとの接触が引き起こす「摩擦」である。

これらのテーゼの内実については、これからじっくり考えていくことにして、まずは本書の裏表紙にある私のプロフィールを見てほしい。このプロフィールから、あなたはどんなイメージを私に持つだろうか。哲学徒の真面目なイメージだろうか。それとも、早稲田大学に付きまとうある種の「軽さ」だろうか。しかし、プロフィールはこんな風にも書けるのだ。

一九八七年、札幌生まれ。幼少時から男らしく生きようとしていたが、大学院退学により挫折。数年間、妻の扶養に入った後、妻の稼ぎで大学院に再入学。元国体出場経験のあるラガーマン。二児の父。

これが自己イメージの罠である。〈私〉は〈私〉を演出することができる。が、それをやりすぎると、今度は逆に、〈私〉がどういう存在なのかが――〈私〉にも他者にも――分からなくなってくる。では、〈私〉が〈私〉であるとは何を意味するのだろうか。

ポスト・トゥルースの世界観の下、サイバースペースでは、それぞれの〈私〉が〈私〉を自由に演出し、〈私〉はそのイメージを介して果てしなくつながっていく。しかし、〈私〉にコントロールしきれないつながりが、途轍もない疲労感を生んでもいる。そうして、〈私〉の存在と〈私〉が取り結ぶ関係は不安定になっている。では、〈私〉を取り戻すためには、どう考えていけばよいのだろうか。〈私〉から出発する哲学的思考を見ていこう。

目次

第四章　ネガティブなものを引き受ける――

第一章　デフォルトの〈私〉

——動物になるか、善い人になるか

〈私〉――他の誰でもないこの〈私〉

〈私〉は〈私〉を離れることができない。これは、およそすべての〈私〉に組み込まれたデフォルト＝初期設定である。しかも、〈私〉は〈私〉を選ぶことができず、キャラクターを変更することは絶対に不可能。生まれた後で他の〈私〉に乗り移ることはできない。車のように〈私〉を乗り換えられたら、どんなに楽だろう。でも、〈私〉はこの〈私〉を生きるしかない。しかし、そもそも〈私〉はどんな存在なのだろうか。

〈私〉が完全無欠の存在だったら、この初期設定をポジティブに捉えることもできるにちがいない。容姿もよし。勉強もできる。運動神経もよい。加えて、他人にやさしく、友達も多い。〈私〉が思い描く理想の〈私〉として生きられるなら、生まれ変わってもこの〈私〉としてもう一度生きたい、と、そう思えるだろう。この場合、生をまるごと肯定できそうである。

だが、ほとんどの場合、〈私〉には微妙なところや直したいところがある。たとえば、それは、軽薄、嫉妬、スタイルの悪さ、意地悪、自己欺瞞、憎しみ、意志の弱さ、運動音痴、猜疑心、悪意、泣き虫、顔の大きさなどである。最も問題なのは、これらのネガティブな要素が〈私〉の思い通りにはならない、という点である。〈私〉が自分の嫌なところを自由に直せるなら、ネガティブなものを抱えるのは大したことではない。一度、白紙に戻して、〈私〉を新しく描けばよいのである。

現実はそうじゃない。〈私〉はネガティブなものを自由にコントロールできないし、これまで積み重ねてきたことを白紙にはできない。狂いそうなほど嫉妬を感じて、相手に攻撃性を向けたという事実は動かないし、モデルを目指して足を長くすることもできない。いつまで経っても〈私〉は〈私〉。このことから逃れられない。〈私〉の欠点や汚点は、そこに確実にあるものとして、どこまでも付きまとってくる。

もちろん、ポジティブな要素もあるだろう。人よりもちょっと勉強ができたり、足が速かったりする。友人の言葉と誠実に向き合ったり、困っている人に手を差し伸べたりする。自分のことを心底嫌いな人はいるかもしれないが、周りの人から見たら、ネガティブだらけの人はそうそう見つからない。誰でも何らかのとりえがある。

〈私〉とは何だろうか。〈私〉は、生まれてからずっと、さまざまな体験を取りまとめる中心として君臨している。いつも、主語は〈私〉なのだ。にもかかわらず、いやだからこそ、〈私〉を十分に表現するのは、それほど簡単な作業ではない。〈私〉は〈私〉をよく分かっていると思うなら、試しに「私について」というタイトルで自己エッセイを書いてみるといい。原稿用紙三~四枚書けたら、今度はそれを誰かに読んでもらい、コメントをもらう。すると、自分では気がつかなかった〈私〉の姿が現われてくるはずである。

私の見るところ、エッセイの中では、多分、最も難しい課題の一つである。詳細な自己紹介をしても、それは切り取られた断片でしかない。〈私〉を象徴するエピソードを書いてみても、友人の意見を書いてみても、〈私〉の全体には決して辿り着かない。ネガティブなものとポジティブなものをすべて羅列しても、それらの要素の組み合わせでは、〈私〉の核心が表現されていない。それはもしかしたら、自己エッセイの中で書かれている〈私〉から、それを書いている〈私〉が取り残されているからなのかもしれない。

ところで、現実世界での〈私〉は複数の顔を持つだろう。これは、〈私〉の存在を多様な観点で切り取ることができる、ということだけを意味するのではない。周囲の人びとや環境や気分によって、〈私〉は〈私〉を調整しているのである。たとえば、職場と家庭で態度が異なる。友人といるときには、砕けた口調になる。〈私〉のありようは、その場面場面で、少しずつ違っているのである。

平野啓一郎の概念を使えば、〈私〉の内実は中心が存在しない「分人」の束だ、ということになる。それは「自分で勝手に生み出す人格ではなく、常に、環境や対人関係の中で形成される」ものであり、「そのスイッチングは、中心の司令塔が意識的に行っているのではなく、相手次第でオートマチックになされている」(平野啓一郎『私とは何か』、六九頁)。分割不可能な一つの人格を中心にするのではなく、（固定的な中心を持たない）複数の人格の緩やかなネットワークとして自分をイメージするのである。

サイバースペースに目を移せば、〈私〉はもっと自由に変容している、と言えるだろう。SNSやメタバースには、さまざまなプロフィールの〈私〉が存在する。特定のアカウントやアバターを主人公にすれば、いつもの〈私〉とは異なる〈私〉を生きることだってできそうだ。しかし、一つ注意すべきは、このことが「分人」のようにオートマチックになされているとは限らない、ということである。というのも、それが意図的なデザインの場合もあるからだ。サイバースペースにおける自己デザインの在り方については、第四章で詳しく論じることにしよう。

さて、〈私〉を十全に表現するのが難しいのは、〈私〉が分人や自己デザインの新しい可能性につねに開かれている、ということに一因があるのかもしれない。では、テクノロジーの進展とともに人間の初期設定は抜本的に変わり、〈私〉は〈私〉を離れることができるようになるのだろうか。どうにも変えようのない〈私〉の存在に悩むのは、昔の出来事になりつつあり、いまは〈私〉を自由にデザインすることで、複数の〈私〉を自在に行き来できるのだろうか。そして、それらの〈私〉を自分の中でうまく共存させて、〈私〉は〈私〉にしっくりきている、と言えるのか。

ところが、サイバースペースに接続されることで、むしろ〈私〉の存在は不明瞭になってきているようにも見える。コントロールしきれない情報や関係性がやたらと広がり、それを取りまとめる〈私〉がいなくなっているからだ。SNSでの〈私〉と現実世界での〈私〉があまりに乖離してしまえば、〈私〉は〈私〉が分からなくなるだろう。つぎに、現代社会における〈私〉の状況を「つながり」の観点から考えてみよう。

「常時接続」と〈私〉の不在

私たちは情報と他者につねに接続されている。哲学者の谷川嘉浩は、これを「常時接続の世界」と表現する（谷川嘉浩『スマホ時代の哲学』、一一一頁）。暇さえあればスマホに目をやり、そのつど更新されるSNSやメディアの新着情報を頭に流し込む。遠くの国の戦争、昔好きだった人の結婚写真、成功した友人の事業内容、環境に配慮した車、偏った思想、素敵なレストラン、既読の有無……。これらはすべて、画面上では、同じレベルで扱われる。

脈絡がない断片的な時事ニュース、そんなに仲良くもない人たちの近況、知らない人が楽しそうに踊っている短い動画が目の前を流れてゆく。ぼーっとしながら動画をスワイプし続けるのは、無為な時間をやり過ごすためだ。何もしていないよりは、スクリーンを見ていた方が、気が紛れるからである。

サイバースペースのネットワークは、複雑に休みなく形を変えながら、出来事と出来事、人と出来事、人と人の間の「つながり」を可視化する。このネットワークに果てを感じることはない。その気になれば、どこまでもつながっていけそうだ。にもかかわらず、〈私〉の意識は妙にぼんやりとしていて、つながりの実感を持つことができない。それだけではなく、何かとつながっていることが一つの強迫観念にさえなっていて、脱接続する隙がないのである。これは奇妙な状況ではないだろうか。

情報にアクセスできず、他者と知りあう機会がない。ネットワークがどこにあるのか分からない。ふつうは、こういう条件が私たちを孤立させて、つながりの意識を希薄にするはずだ。ところが、この社会で現われているのは、接続の過剰から出来する疲労や孤独なのである。つまりそれは、つながっているがゆえの、逆説的な隔絶の意識だ。

起床から始まり、トイレ、三度の食事、通勤、待ち時間、そして就寝の直前まで——下手をしたら歯磨きやカフェで友人と珈琲を飲んでいる間にさえ——私たちはスマホやタブレットを手放さない。仕事でパソコンを使用している人なら、一日のほとんどの時間、スクリーンに映る情報に晒されているだろう。

こういうことが当たり前になった日常の中で、私たちはふとした瞬間に異様な疲労感を覚える。誰とでもつながっているからこそ、形容しがたい孤独を感じる。そんな瞬間を、現代を生きている人なら、誰もが経験しているはずだ。しかし、どうしてこのような状況に陥ってしまったのだろうか。

それは、情報の生産と消費のサイクルがあまりにも短すぎて、単にそこから人間が疎外されているからではない。あるいは、ＳＮＳがつくりだす人間関係が頼りない、ということでもない。その理由を端的にいえば、細かい情報の塵が山ほど頭に積もり、何かをゆっくりと立ち止まって考えるための空き容量が不足しているからである。みんなに追いていかれたくない、という漠然とした同調意識に支配されて、自分が何を欲しているのかを深く考えなくなっているからである。そして、〈私〉の不在。これが最も深刻である。情報に意味を与える〈私〉がいない。

たしかに、テクノロジーは〈私〉が別様に存在する可能性を広げている。が、このことに相関して、むしろ〈私〉の存在の確からしさは、逆にしぼんでいる。そうして、〈私〉はここに存在している、というリアリティを持てなくなっているのだ。すなわち、〈私〉から切り離された情報や関係性のネットワークだけが広がっている状態である。

これを脱中心化したネットワークの在り方として肯定的に見る向きもあるだろうが、私の考えを言えば、それはネットワークを俯瞰したときに堅固な中心が見当たらないだけであって、生の内側から物事を見るなら、やはりすべての情報や関係性の中心にいる〈私〉の存在はどうやっても動かない。認識者なしの認識はありえない。〈私〉とその思考は切り離せない。何事も〈私〉が考えるのであり、考える際には必ずそこに〈私〉が存在するのである。

つまり、こうだ。私たちは世界の側を見すぎている。スマホのスクリーンを通して世界を見ることに一日の大半の時間を費やしてしまえば、それを見ている〈私〉を考えるための時間が無くなるのは当然だ。頭に余計なキャッシュが溜まりすぎて、動作が重くなっている。こうして、世界を見ている〈私〉の存在を意識できなくなる。何を見たいのかも分からず、何が本当に必要なのかも分からない。結果として、〈私〉は、それと気づかないうちに、世界の側に埋もれてしまうのだ。

しかし、以上の問題は、取り立てて新しいものではない。たとえば、カナダの哲学者マーク・キングウェルは、退屈とサイバースペース依存の関係を哲学的に分析しているし（『退屈とポスト・トゥルース』）、国内でも、先に言及した谷川が「常時接続の世界」における退屈や孤独の問題を詳細に論じている（『スマホ時代の哲学』）。また、私自身、欲望の不活性については、ニヒリズムとメランコリーをキーワードにして論じたこともある（『新しい哲学の教科書』）。

つまり、すでに材料は出揃っている、と言っていい。それだけではなく、ＳＮＳやメタバースが普及する中で、退屈、疲労、孤独、〈私〉らしさといった主題が出てくること自体に、おそらくそんなに目新しさはなく、言ってみれば、それはある種の一般通念でさえある。

だが、テーマが新しくないから、その問題は終わっている、とは言えない。たとえ問いが立っていても――その問いが根本的なものであればあるほど――答えを導くのは簡単ではないからだ。私は、本書で、デカルト的立場から上記の主題に取り組むつもりである。したがって、今回の私の仕事は、一つのアプローチを提起することである、と言ってもいいかもしれない。

〈私〉を取り戻す――本書の見取り図

余計なものをそぎ落として〈私〉を取り戻すこと、情報と関係性の過剰さを哲学的に解体すること――本書で考えてみたいのは、すべての認識の起点となる〈私〉にほかならない。さしあたってここでは、〈私〉の本質は、「絶対性」と「有限性」である、と言っておこう。次章以降で詳しく見ていくが、デカルト的省察のハイライトは、〈私〉に見えているものを見えていないと言うことはできず（＝絶対性）、しかし〈私〉の見え方は完全なものではない（＝有限性）、というものである。

逆に言えば、〈私〉によく見えていないものについては、それが何であるかの判断を急がない。つまり、判断を保留してみる、という選択も成立するだろう。この判断保留という選択は、事実と嘘の見分けがつきにくくなったポスト・トゥルースの時代を生きていくための指針となるだけではなく、〈私〉にはどうにもならない状況に耐える力を陶冶する。

さらに、〈私〉の有限性は――これを〈私〉の存在の有限性として捉え返すなら――先に示唆したネガティブなものをも指示するだろう。〈私〉は「弱さ」や「脆さ」を抱える存在であり、それを任意に編み変えることはできない。認識論的にも存在論的にも、〈私〉は有限性を乗り越えられないのだ。

ところが、この根本条件をすべての〈私〉が共有していることで、〈私〉のフェアネスに基づく、新しい「つながり」をつくっていく可能性が見えてくる。そこでは、ネガティブなものや〈私〉にはどうすることもできないものの積極的な価値が再発見されるだろう。弱い自分だけが担える役割がある、ということだ。

〈私〉の自由に「抵抗」し、〈私〉の志向力と「摩擦」を引き起こすこと――こういう性質が、じつは存在の実在性を構成しているのである。だから、すべてを意のままに操れるようになればなるほど、〈私〉と〈私〉がつくりだす人間関係のリアリティはかえって薄れていく。自分が思い通りにできないもの、そんなどうにもならないデフォルトと手を組め。
これが本書の大まかな見取り図である。
しかしあまり先を急がず、以下ではまず、私たちの疲労の正体を追いかけてみよう。食べることになぞらえて、見ていきたい。

退屈した食傷精神――食べなくても退屈、食べていても退屈

食べ過ぎること、すなわち、飽食は食傷の呼び水となる。一般に、食傷には二つの意味がある。一つは、同じ食べ物が続いて、食べ飽きてしまうこと、もう一つは、食あたりを起こすこと、である。つまり、飽食は倦厭と病気の原因になる、ということだ。

インターネットに無限の情報が集まっている。世界中の他者とつながる可能性もある。しかし、〈私〉は何を食べたいのかがよく分からない。手持ち無沙汰で暇だから、何かを食べようとしているだけである。ここで、いつでも食べることをやめられるなら、これは健全である。退屈を持て余さないように、情報や関係性を適度に食べられているのだから。

ところが、たとえ食べることに飽きていたとしても、食べることをやめられない。食べていなければ気が済まない。楽しいはずの食が強迫観念にさえなっている。このサイクルから抜け出せなくなっているとすれば、これは一種の病とでも言うべきものである。この

場合、〈私〉は飽食と食傷の悪循環にはまって、そこから逃げられなくなっている。したがって、純粋な量だけではなく、〈私〉がそれを制御しうるのかどうかが、問題の核心である。

通勤時間で読書をしようと決意してはみたものの、どうしてもＳＮＳが気になってしまい、そっちに目が行く。布団に入ってちょっとスマホをいじり始めたらとまらなくなり、翌朝、寝不足のまま会社や学校に行く羽目になる。無駄だと分かっているのに、そこから離れることができない。そうして、頭が脈絡のない雑多なもので一杯になってしまう。この不健康なサイクルの根底には、何があるのだろうか。おそらく、それは、自らの欲望の状況が分からなくなり、退屈している食傷精神である。

何らかの欲望や関心が動いて、目標や目的が創設される。それを達成しようとする過程で蓄積される疲労は——たとえ、最終的にうまくいかなかったとしても——悪くないものだし、それは目的達成のために必要不可欠なものである、とさえ言えるだろう。これはちょうど、お腹が減って何かを食べるのと同じくらい自然で健全な現象である。

たとえば、学校や会社でテストがあるとしよう。あいつには負けたくない、両親の喜ぶ顔が見たい、この試験に受からなければ業務に従事できない……。そこに欲望や目標があるから、勉強や受験に意味が出てくる。本当にどうでもよければ、目標は生まれないし、勉強もしないし、したがって、疲れもしないはずだ。

だから、目標の達成を目指している情報収集の過程で感じるのは、ほとんどの場合、意味のある疲労である。欲望－目標－手段はよい循環を構成するのだ。〈私〉の努力がこの流れのうちにあれば、すべてのプロセスに意味が付与されるからである。そして、この前提にあるのは、〈私〉の欲望と目的意識だと言えるだろう。

ところが、飽食と食傷のサイクルで溜まっていく疲労は、欲望－目標－手段の系列から外れている。そもそも、何を食べたいのかがよく分からなくなっているのだから、そこに目標や目的は創設されない。端的に言えば、何かを成し遂げたいから、情報を集める、というのではなく、単にやるべきことがなくて退屈だから、スクリーンを見ているのだ。

目的なき情報収集によって、そのプロセス全体に意味を感じることができなくなり、それで疲れてしまっている、というわけである。それゆえ、正確に言えば、退屈だから食べ始めて、それでまた退屈している、という退屈の円環構造が、食傷精神が陥って抜け出せなくなっている状況である。食べなくても退屈、食べていても退屈――これこそが、それでも〈私〉が食べ続けてしまう理由にほかならない。

だとすれば、退屈した精神の食傷は、〈私〉が自らの欲望を見失い、目標をつくることが難しくなった時代のニヒリズム（世界の一切は根本的には無意味である、という主張）と隣り合わせである、と言えそうだ。つまり、いわゆる情報化とは別の背景が一枚嚙んでいる、ということである。一九世紀ドイツの孤高の哲学者フリードリッヒ・ニーチェは、ニヒリズムについてこう述べている。

ニヒリズムとは何を意味するのか？　――至高の諸価値がその価値を剝奪されるということ。目標が欠けている。「何のために？」への答えが欠けている。

（フリードリッヒ・ニーチェ『権力への意志（上）』、二二頁）

世界に意味がない、生きることに価値はない、という主張の背後には、目標を持てない〈私〉がいる。目標を定立する〈私〉の力が弱くなればなるほど、世界の意味は失われていく。ニヒリズムの本質は、生きるに値する目標を持てない、ということなのだ。すなわち、世界それ自体が無意味なのではなくて、世界を見ている〈私〉に目標をつくりだす能力が欠けている、ということである。ニーチェは、生に退屈してしまう〈私〉の不能感がニヒリズムの源泉だと言うのだ。

では、退屈した食傷精神の場合だと、どうなるだろうか。「何のために？」への答えを欠いたまま、ただひたすらに情報をインプットすることは、情報の無意味さだけではなく、情報を収集する行為に励む〈私〉の不能感を直観させる、と言えるのかもしれない。つまり、本当は退屈を感じている〈私〉を何とかしなければならないのだ。

画面にある情報それ自体が無意味なのではない。そうではなくて、情報を見ている〈私〉に目標をつくりだす能力が欠けているのである。〈私〉はすでに死んでいる――スクリーンを見ながら、スワイプしながら、〈私〉はこの事実を暗に感じている。しかし、どうして〈私〉は退屈しているのか。この退屈には、何か時代的な背景があるのだろうか。順を追って見ていこう。

ミニオンズの憂鬱

ミニオンズシリーズを知っているだろうか。つるっとした黄色の身体をして、オーバーオールを着こなす、奇妙な生き物が主人公のアニメーションである。一つ目のもの、二つ目のもの、痩せているもの、太っているもの、音楽好きのもの、女好きのもの。ミニオンには個性がある。また、ミニオンズは独自のミニオン語を話す。ほとんど何を言っているのか分からないが、人間にもいくつかの言葉は理解可能である（バナナ、ナカマなど）。

それぞれのミニオンはどこか人間の子どもに似ていて、何かにつけて大騒ぎをして周囲を参らせている。その様子が何ともコミカルで愛らしい。当初、私は子どもにつられてついつい見てしまっていたのだが、いつの間にか、私の方がハマってしまったというわけだ。親子間ではありがちなことである。

さて、ミニオンズ誕生の謎に迫る映画『ミニオンズ』では、その冒頭でミニオンズの歴史が語られる。人類が生まれるはるか以前から地球上に存在していた彼らは、その時代時代で最も凶悪な大悪党のボスに仕えることに喜び（期待と不安）を感じている。恐竜、原始人、ファラオ、ドラキュラ、将軍など、ミニオンズはその時代で一番面白そうな大悪党と行動を共にすることで生を謳歌する。が、いつもへまばかりして主人を困らせてもいる。

たとえば、中世時代にドラキュラと一緒にいたときには、サプライズで主人の誕生日を祝おうとしてカーテンを開け、彼に日光を浴びさせて灰にしてしまう。その様子がまた愛らしく憎めないものなのだが、そのような失敗を繰り返しているうちに、とうとうミニオンズは行き場を失う。最後は、雪に閉ざされた土地の奥深くにある洞窟を見つけ、その中でひっそりと暮らすことになるのだ。

しかし、そこはとにかく明るいミニオンズ。雪合戦、サッカー、合唱などをしながら悠々自適に生活し始める。そうして、洞窟の中にミニオン文明を築き上げ、自分たちだけの王国をつくりだすのだ。流浪のミニオンズはようやく居場所を見つけたかに思われた。

ところが、すべてが充足したミニオンズに訪れたのは「退屈」である。衣食住が十分に充たされても、それだけでは生きていけない。なぜなら、ミニオンズの生きがいはボスと一緒に悪いことをして、スリルを味わうことだから。ミニオン文明の内側で何不自由なく暮らしていても、何だかつまんない。それはちょうど、人間の子どもが安全な家でじっとしていられないのと同じだ。この世界の外側にあるはずのワクワク感やスリルを、ミニオンズはどうしても求めてしまうのである。

なんと贅沢な悩みだと思う人もいるかもしれない。たしかに、その日一日の食うものにも困っている人は、食事にありつけるかどうかのスリルを味わいたいなんて思わない。平穏が一番。この意味で、ミニオンズの憂鬱は発達した文明の気分なのだ。これはいわば、有閑階級の退屈であり、衣食住に困らない人びとを襲う倦怠である。

だが、このことは不可逆な定めでもある。原始時代には戻れないし、昔の不幸を引き受けようとも思わないからだ。短命、貧困、飢餓、差別、殺戮……。人間の文明が長い時間をかけて斥けようとしてきたものである。これらの不幸に翻弄されるよりは、文明の平安にやすらっていた方がましだろう。実際、人間の祖先はそう考え、文明という安全地帯に逃れるという選択をしたのだ。ならば、文明の憂鬱はその利便性や合理性の代償である、とさえ言えるのかもしれない。

だから、ミニオンズの憂鬱は私たちの気分に重なるのである。欲望の大半が簡単に充足されうるとき、私たちは何が本当に必要なのかを自分で選ばなければならなくなる。それは選択すること、一言でいえば、「自由」をわがものにすることだ。しかし、自由を飼いならすのは簡単ではなく、それはこの時代に現われた本質的に新しい課題なのである。だとすれば、食傷精神が感じている退屈には時代的な理由がありそうだ。日本の現代思想をヒントにして、もう少しこの気分を追いかけてみよう。

日本の現代思想が考えてきたこと——宮台真司・東浩紀・國分功一郎

私たちの気分を理解するために、まず「動物化」という言葉がキーワードになる。動物化とは、人間の欲望に対して動物の欲求が優勢になることだ。動物化した人間は、自分の価値を他者に承認してもらうことではなく、とにかく自分が——他者がそこに価値を見出すかどうかは二の次にして——夢中になれることを渇望するようになる。つまり、関係性よりも内的なエロスに軸足を置く状態だ。

思想や哲学というものは、いくつかのものを並べてみたときに、初めてその全体像が見えてくることがある。日本を代表する哲学者や社会学者の著作、すなわち、宮台真司『終わりなき日常を生きろ』(一九九五)、東浩紀『動物化するポストモダン』(二〇〇一)、國分功一郎『暇と退屈の倫理学』(二〇一一)を通読すると、そこに一九九〇年代から日本に蔓延してきた独特の気分を見出すことができるのだ。それこそはミニオンズが感じた「何となくつまんない」という憂鬱にほかならない。

宮台によれば、八〇年代には二つの世界観が存在していた。「終わらない日常」（進歩も破滅もない日常）と「核戦争後の共同性」（非日常的な外部の未来への投影）である。しかし、九〇年代に入って、終わらない日常が現実化したとき、戦争後の共同性、言い換えれば、ハルマゲドンによる救済を強く信じていた者たち（とりわけ終わらない日常に適応できなかった宮台の世代）が追いつめられた。これが、オウム真理教に力を与えることになる。つまり、オウムは退屈な日常の中で行き場を失った善きことへの意志の受け皿になった、というのである。

この「終わらない日常」を生きるために求められるのは「コミュニケーション・スキル」である。豊かで自由になり、幸福になるための条件が整っても、結局、さえない奴はさえないし、モテない奴はモテない。終わりなき日常では、自分の不幸の原因を外的要因（社会）のせいにすることはできない。そこでは、コミュニケーション・スキルが〈私〉の生き方や世界への関係を決めるからだ。逆に言えば、それがままならない人びとは、ひたすら自分を責めるしかなくなるだろう。端的には、お前が駄目なのはお前が駄目だからだ、という至極当然の事実から逃げられなくなるのだ。

私たちは、戦後ながらく、コミュニケーションの自由を求めてきた。しかし自由とは、コミュニケーションの失敗がもっぱら自己責任に帰属されることと同義である。私たちはそうした状況を、かつて一度も生きたことがない。長らく共同体的な存在だったということだ。だからコミュニケーションには失敗がつきものになり、多くの人々にとってこの社会は、「絶えざる不幸」がひたすら「内的」にしか帰属できない世界として意識されてしまう。それが「終わらない日常」ということだ。

（宮台真司『終わりなき日常を生きろ』、一六二－一六三頁）

宮台のいうコミュニケーション・スキルを習得することができず、コミュニケーションに失敗し続けた人びとは、別の道を模索せざるをえなくなる。各人の自由に基づく関係的倫理（価値観、生き方、行為のよしあし）を新しくつくることは断念しているが、かといって「大きな物語」（革命やハルマゲドンによる救済）を信じることもできない。そういう人びとは、ただひたすらに自己充足的な快を求めるだろう。人間の倫理においても、大きな物語においても、「善への意志」が挫折し、しかしそれでも生きる理由を求めてしまうとき、自己の快楽以外の選択肢がなくなるのである。

ここで、今後の議論のために、一つ補助線を引いておこう。それは、人間的欲望の状態の変容と共同的倫理の崩壊は、作品のよしあしを表現する批評の低迷と連動する、ということである。というのも、〈私〉の倫理観が他者に届く見込みがなくなると、作品の評価を定めようとする営みがしぼんでいくからだ。このことは、次に出てくる「動物化」の議論と密接に関連している。

ある作品から受けた感動やエロスの本質を表現して、それを誰かに伝えようとするとき、そこには広い意味での倫理への信頼が存在するはずだ。もちろん、それはたとえば、国家権力や資本主義に加担する作品はすべてブルジョア的なものである、という偏った政治的な倫理意識のことではない。〈私〉の実存的生の中で見出される「よさ」や「美しさ」が、一定の人びとに共有されうるという可能性の意識のことである。

この倫理への信頼があるから――場合によっては、たとえ社会的正義に逆立することがあるとしても――作品のよしあしを何とか言葉にしようとする批評の努力が成立する。批評家は表現への意志を持てるようになる。この批評の言葉は、誰かに届くはずだという期待が生まれるからだ。

逆に、そのような期待をまったく持てない場所で、人間的生のエロスと不安の表現としての作品を批評するゲームを行なうのは難しい。作品が自分好みかどうかを述べ立てるだけでは、一切は相対的な嗜好に還元されてしまい、さまざまな表現が交わる中で、作品のよしあしを徐々に浮かび上がらせる批評ができなくなるからである。つまり、何らかの価値を共有しうるという希望がなければ、批評は立ち行かなくなるのだ。

さて、東浩紀は九〇年代に現われたオタクの消費行動に注目し、それを「データベース消費」と呼んだ。八〇年前後生まれのオタク第三世代（二〇代で「エヴァンゲリオン」を見た世代）は、大きな物語への欲望を持たない。彼らは個々の物語（シミュラークル）の裏側にある大きな物語を消費するのではなく、個々の物語に諸々の要素を提供するデータベースを消費している、というのである。ここで注目すべきは、このオタクの消費行動が作品のよしあし（＋その批評）とほぼ無関係に行なわれている、という点である。

オタクを夢中にさせているのは、彼らの動物的欲求を充たす作品の中の諸要素だ。それゆえに、その作品全体が人間と社会（他者）にとってどういう意味を持つのか、自分の心が動かされた理由は何か、その作品は他の作品に比べてどう優れているのか、といった批評の問いは立たない。つまり、自己のエロスの閉鎖空間から出てこない（出てこられない）、ということだ。

物語の意味やメッセージには強い関心を持たないが、作品世界のデータ（＋それを構成する要素）には固執し、その組み合わせのみを消費する時代——東はこれを「動物化の時代」と呼んだ。人間の時代（近代＝モダン）であれば、作品に感動する理由やキャラクターに共感する理由を、その物語の背後に探し当てようとするはずだが、動物化の時代（ポストモダン）では、それはそれとして、すなわちその事実（感動や共感）とは別に、データベース消費が行なわれるのである。これは——自己価値の欲望からは離れた——動物的な消費行動だと言える。

たとえば、ピンク髪、巨乳、眼鏡、快活、ロリ声を要素とする図書委員「神野梓」と青髪、清楚、お金持ち、釣り目、ツンデレを要素とする風紀委員「織野翼」が登場する、「岩佐蒼依」が主人公の学園アニメ『Ｍｏｏｎ』があるとしよう。主人公の岩佐の正体は月の王子で、地球で伴侶を見つけて、月に帰らなければならない。梓と翼はそれぞれ別のやり方で岩佐の心を惹きつけるが、結局、二人の間で引き裂かれ、岩佐は地球に残ることを選ぶ。しかし、この選択は岩佐に思いがけない結末をもたらすことになる……。もちろん、これは私が急作した架空の物語である。

Ｂ級感が半端ないが、この『Ｍｏｏｎ』を批評しようと思うなら、ふつう、このアニメから何らかの世界観やメッセージを読み取ろうとするだろう。たとえば私なら、出自や帰属と自由恋愛の間で生じる葛藤や、他人の心の不可解さ等々のテーマを抽出し、同じようなテーマを扱った同時代の作品と比較したうえで、『Ｍｏｏｎ』が表現としてどう優れているかを論じるかもしれない。『ロミオとジュリエット』や『行人』などの文学作品を参照することもできる。これが、作品のよしあしを表現する、ということだ。

ところが、ここで動物化するオタクたちの関心の矛先は——作品やキャラクターに感動や共感を覚えつつも——先の諸要素に集中する。たとえば、ピンク髪、ロリ声、ツンデレ、学園もの、などである。ところで、これらの要素は、他の作品の中にも見出される。ＳＦの長編アニメーション『ペリカンの掟』には、ピンク髪、眼鏡、巨乳、ツンデレの戦闘美少女「向井千秋」がいるかもしれない。こうして、アニメ全体の中にある諸要素はどんどんデータベース化され、諸要素とその組み合わせが蓄積されることになるのだ。

では、動物化とは何か。私なりに一言でいえば、他者なしで充足することである。フランス現代思想に強い影響を与えた哲学者アレクサンドル・コジェーヴのヘーゲル解釈に従えば、人間の自由への欲望は、動物的欲求（欠乏→充足）とは異なり、本質的に他者を必要とする（自己価値→他者の承認）。つまり、自由を求める人間的欲望の本質は動物的欲求とは異なり、必ず関係的かつ社会的なものにならざるをえないというのが、近代哲学の大前提だったのである。

しかし、東の分析によると、オタク系文化のデータベース消費が示すのは、人間の欲望が変質し動物的なものに接近している、ということである。それは、コミュニケーションによって創出される間主観的な構造（〈私〉と他者に共有されている構造）、言い換えれば、自由への欲望を相互に認め合うことから生まれる連帯の可能性が消え、「各人がそれぞれ欠乏－満足の回路を閉じてしまう状態の到来」（東浩紀『動物化するポストモダン』、一二七頁）である。

つまり、自分の欠乏が充たされれば――それが社会にとって意味があろうとなかろうと――それでよい、という状態である。アニメやゲームの諸要素に感じる、ある種のフェティッシュ性が心の志向を支配してしまい、自己価値や他者の承認の契機が欲望の状況から後退している、というのだ。これが動物化の時代の特徴である。

國分功一郎はこうした現代思想の文脈を共有しつつ、『暇と退屈の倫理学』を書くことになる。この本の主題は、何もすることがない時間に感じる退屈にどう対処するのか、というものである。國分は、こう書いている。

幸福な人とは、楽しみ・快楽を既に得ている人ではなくて、楽しみ・快楽をもとめることができる人である、と。楽しさ、快楽、心地よさ、そうしたものを得ることができる条件のもとに生活していることよりも、むしろ、そうしたものを心からもとめることができることこそが貴重なのだ。

（國分功一郎『暇と退屈の倫理学』、五五頁）

國分のいう楽しさ、快楽、心地よさを得ることができる条件とは、つまり自由が基礎的な権利として保障されていることだろう。たとえば、表現の自由がなければ、SNSを活用することはできない。職業選択の自由がなければ、親の仕事を引き継ぐしかない。自由は幸福の根本条件なのである。

ところが、自由を保障する社会の一般条件が上がっていけばいくほど、そこにあるのは終わらない日常である。たとえば、素晴らしい社会がそこにあるなら、革命（社会変革）の欲望はもはや生まれることはなく、それゆえ社会の理想を思い描くのが難しい状況になる。何をしてもいいからこそ、何をしたいのかが分からなくなり、充たされすぎているがゆえに、かえって欲望は行き場を失うことになるという、いわば贅沢な悩みが現われてくるのだ。

もちろん、現実の社会にはさまざまな矛盾が存在する。しかし、そこで当事者意識を持てるのは、よほどアンテナを張っていない限り、基本的には、矛盾に翻弄される人間だけである。大多数の人間は、それほど悪くない生活に、何となく納得して生きる。終わらない日常というデフォルトの設定を変える必要を感じなくなるのだ。

そうして、私たちは、代わり映えしない日々を過ごしながら、当たり前の枠組みとして終わりなき日常を受け入れる（震災やパンデミックが起ころうとも、本質的な構造は変わっていないように見える）。生きるというのはこんなもんだろう、と、達観してしまい、日常世界を突き抜ける理想や憧れを思い描けなくなるのだ。人生に熱くなるのが馬鹿らしくなる人も出てくる。

　自由が保障された檻の中で豊かな生活を営むことができるなら、その檻の外に出る必要はない。それは、檻の外に危険があるからではなく、檻の外に出たところで、そこで実現し享受できるのは、結局のところ、いまの檻の中の豊かさにすぎないことを知っているからだ。というのも、檻の外で人間がまずやらなければならないのは、もう一つの檻をつくることだからである。

　退屈が顕在化してくるのは、まさにこの段階である。手に入れた自由の恒常性と引き換えに、何をしたいのかがよく分からなくなるのだ。自分に特別な才能はない。能力のある人たちが、それを存分に発揮できる場所で活躍していることは、テレビやインターネットの情報が教えてくれる。ピアノの天才はピアニストになればよい。数学に興味があれば、数学の道に進むことだってできる。

　ではしかし、〈私〉は何をすればよいのだろうか。選択肢は無数にある。でも、欲望や憧れが動かない。こうして、〈私〉はこの生に退屈を感じる。だから、暇と退屈というこの贅沢な悩みは、終わらない日常の常態化を可能にする「豊かな社会」の、いわば影なのである。退屈できるということは素晴らしいことだけれども、それで生きていることがつまらなくなってしまうなら、これでは本末転倒である。

それでも、退屈を手懐ける可能性は残されている、と、國分は言う。それが動物化である。「退屈することを強く運命付けられた人間的な生。しかしそこには、人間らしさから逃れる可能性も残されている。それが〈動物になること〉という可能性である」(同書、三三三頁)。何かに没頭(＝動物化)さえできれば、退屈は打ち消されるからだ。しかも、人間はさまざまな環境世界を自由に移動できる。人間の場合、動物化の可能性は複数化しているのだ。色々な世界を見ながら、動物になることを待ち構えることができるのである。

つまり、こうだ。動物は、ほとんどの場合、一つの環境世界に拘束され、そこで一生を過ごすしかない。が、人間は違う。音楽の世界に身を置いてあまり興味を持てなければ、スポーツの世界に行けばよい。政治学に飽きたら、物理学をやればよい。人間は自由であるがゆえに退屈に苦しむが、その退屈と引き換えに、環境世界を自在に移動する能力を獲得している。どこかの世界に〈私〉を夢中にさせる何かがあるかもしれない。それを見つけることができれば、〈私〉は動物になれるのだ——。

まとめよう。暇と退屈は文明の課題である。それは、現在に未決のまま持ち越されている、と言ってよい。終わらない日常がデフォルトになり、そこに現われた暇と退屈。そして、その解消としての動物化。どうやら、このことが退屈の円環構造を生み出している、と言えそうだ。ミニオンズが感じた憂鬱は、やはり私たちの気分だったのである。

新しい世代は善きことを求めている

宮台、東、國分の仕事には、じつはもう一つ、あるライトモチーフが含まれている。それは（人間的かつ関係的な）「善への意志」の行方である。この意志は動物化の欲求と対になる欲望、すなわち、自分と社会にとって善きことをなしたいという人間的－関係的欲望を指示する。先に示唆したように、人間的自由の欲望には他者による承認の契機が不可欠なので、それは必然的に関係的なものとなる。平たく言えば、〈私〉がよいと思うことを他者もよいと思うことが必要であり、それゆえ、〈私〉は他者の欲望を欲望することになるのだ。

ただし、ここで欲望とは、単なる動物的－生理的欲求とは異なり、およそ何かを欲することを意味する。たとえば、美しいものに心が惹きつけられるのも欲望であり、道徳的に生きたいと思うのも欲望である。つまり、それは何かに向かおうとする心の力動である。その一つとして、善を求める欲望があるのだ。

さて、ここからは「善への意志」が何を意味するのかを考察していこう。特に、宮台がはっきりとこの問題を提起しており、オウム真理教が屈折した形でその受け皿になったというのは、先に論じたとおりである。文明の退屈と善への意志はいかに関係しているのか。そして、いま、善への意志はどういう形を取っているのか。一つずつ、確認していきたい。

大きな物語が挫折した後、一方では、自己充足的な快－不快の回路に閉じこもろうとする生き方の類型（＝動物化）が現われるが、もう一方では、自由な個人の連帯による新しい倫理をつくろうとする生き方の類型（＝善への意志）が現われる。日本の現代思想の主な関心は、徐々に動物化していく人間模様に向けられたが、近代以後に現われた自由への欲望の行方は、もう一つの重要な哲学的主題である。私の考えでは、現代社会では動物化への欲求と関係性への欲望の両方が動いている。だから、善への意志は消えたわけではないのだ。

ミニオンズにとっては、ボスと悪さをすることが動物化の可能性を意味するわけだが、興味深いことに、ミニオンズは何よりもナカマを大切にする存在でもある。大悪党とハチャメチャを繰り広げる彼らの基本倫理はナカマの幸福であり、はしゃいでふざけながらも、ミニオンズはいつもナカマのことを想っているのである。これをあえて先ほどの図式に当てはめるなら、大悪党とのハチャメチャが動物化、ナカマへの想いが善への意志、ということになるだろう。

ここで注目すべきは、一九八〇年代以降に生まれた世代を中心にして、善への意志が、しかも普遍的な善の感度が取り戻されつつある、ということである。彼らは、哲学史的に言えば、ポストモダン思想以後に生まれた世代であり、二〇〇〇年代以降に大人になっている。つまり、ポストモダンを知らない新しい世代だ。ちなみに、彼らこそが、サイバースペースに慣れ親しんできた世代でもある。

〈私〉だけがよければそれでよい。この動物的エゴイズムは時代遅れになりつつある。むしろ、若い世代の間では、すべての人間にとってよいと言えそうなことを、具体的に実質化していきたいという機運の高まりが見られる。これは、一国の社会革命の理想を遥かに超える想像力に支えられており、およそ人間である限りすべての人間に妥当するよいことを目指して進んでいる。善への意志が再起動したのである。

とはいえ、動物化の欲求も同時に動いているのは確かである。暇や退屈を持て余して困っている人、動物的生を楽しんでいる人、すべてが充たされた生に意味を感じられなくなった人は、一定数、存在している。が、このことに眼を奪われるあまり、善への意志の現在を確認しないのなら、これは宮台の分析から何の教訓も受け取っていない、ということになるだろう。「「良心的であるがゆえにサリンをばらまく」「社会を考えるエリートであるがゆえにサリンをばらまく」という逆説――いわば観念的であるがゆえに出発点から最も遠い場所へと隔たってしまうという逆説――が理解できない限り、私たちは問題の核心を取り逃したまま」（宮台真司『終わりなき日常を生きろ』、四四－四五頁）なのである。

大いなる善のために悪を為してしまった人びとの矛盾は、過去の遺物ではない。善への意志は大きな物語と共に終わったわけではないのだ。それは、物語とは別の仕方で善へと辿り着く方法を待ってくすぶっている。ひょっとすると、この事態は、イデオロギーの復活を招くかもしれない。というのも、終わりなき日常に退屈を感じているからこそ、それを打ち破る極端な思想に心が惹きつけられてしまうからだ。

現代思想が与える善のイメージ

普遍的善への期待が取り戻されつつある。これは、私が子どもや学生と接するうちに感じ始めたことではあるが、ポストモダンの後に現われた現代哲学の新しい潮流とも密接に関係している。その代表は、二〇一〇年代に颯爽と登場したマルクス・ガブリエルの新実在論である。

ガブリエルはこう考える。現象（物の現われ）と物自体（物の真の姿）を区別したカント以後、多くの哲学は物自体を認識する可能性を断念してしまった。私たちが見ているのは現象としての物であり、その現象の背後に控えている物自体を知ることはできない。この見方を押し進めると、やがて物自体は消去されて、現象の世界だけが残されるだろう。さらに、見る人の諸条件（文化、宗教、言語、ジェンダー、身体、環境など）によって、物の現象の仕方も異なるとしたら、それぞれの人はその人に固有の色眼鏡をかけて世界を見ている、ということになる。

ここで出てくるのが、すべて（存在と認識）は文化的－社会的に構築されている、という考えである。これは構築主義と呼ばれる。構築主義の立場では、誰にとっても同じようにある客観的な事実は否定される。というのも、いかなる人であっても、自分の色眼鏡を外すことはできないからだ。それに、他者の色眼鏡がどんなものなのかを厳密な仕方で知ることもできない。こうして、構築主義の論理では、一切の存在と認識は相対化されてしまうのである。

しかし、ガブリエルは、このような見方に反対して、事実は存在している、と主張する。人間は物自体や事実それ自体を認識できるし、およそ存在は人間的認識の諸条件に拘束されているわけではない、というのだ。一言でいえば、二〇世紀後半から長らく支配的であった構築主義（＝ポストモダン思想）は端的に間違っている、ということである。

人間の存在と認識は集団幻覚ではありませんし、わたしたちが何らかのイメージ世界ないし概念システムに嵌まり込んでいて、その背後に現実の世界があるというわけでもありません。むしろ新しい実在論の出発点となるのは、それ自体として存在しているような世界をわたしたちは認識しているのだ、ということです。

（マルクス・ガブリエル『なぜ世界は存在しないのか』、一三頁）

人間は社会が一方的に与えてくる概念システムにはまり込んでいて、そこから出ることはできない。たとえば、私たちは言語を利用して世界分節を行なうが、言語は社会（親）の側から与えられるものである。それぞれのシステムに対応するそれぞれの現象の世界――いわば複数の世界――だけが存在しており、いかなる世界認識も文化的相対性を越えられない。構築主義をラディカルに突き詰めれば、こうした見方に帰着するだろう。

しかし、「抜け出せない概念システム」（現象）－「その背後の現実世界」（物自体）という対立そのものが――論者によっては後者が消去されていたとしても――**構築主義によって構築された世界イメージ**だとしたら、どうだろうか。たしかに、人は特定の認知－言語体系を生きざるをえない。が、だからといって、すべての対象認識が相対的に構築されているわけではない。

説明しよう。リンゴの好き嫌いは人によって異なるとしても、リンゴが机の上に存在するという事実は、誰でも同じように認識しうるだろう。さらに言えば、たとえ誰もそのリンゴを見ていないとしても、リンゴが机の上にあるという事態に変わりはない。物の見方の相対性を言い立てるだけでは、不十分なのである。それに、文化の限界に縛られない認識、たとえば、数学や論理学の客観性の謎も残るのだ。

さて、構築主義の見方は、私たちの実存感覚や世界認識に深く浸透している。まず、物の見方は文化や社会によって異なり、その境界を越境することは決してできない、という多様性（相対性）の感度を挙げることができる。つまり、よい意味でもわるい意味でも、「人それぞれ」ということである。しかし、「私は私、あなたはあなた」という議論では、結局、どこにも行き着かない可能性がある。相対主義の方法では、考えや立場の違いを認め合いながら相互了解を深めたり、共生のための枠組みをつくったりしていくことが難しいからだ。

それだけではない。かりにある事柄が間違っていたとしても、より多くの人が感情的もしくは衝動的に賛同してしまえば、ただちにそれが影響力を持ち始めてしまうという「ポスト・トゥルース」の状況が現実味を帯びている。このことについては、第三章で詳しく考えるつもりだが、ここではさしあたり、こう言ってみることができる。すなわち、ポスト・トゥルースの世界観において正しさは**つくられる**ものである、と。この世界観の背後に構築主義があるのは明らかだ。

具体的に述べよう。たとえば、私たちがある情報を正しいと判断するとき、何がその判断を支えているだろうか。判断の根拠を自分で確かめてみることもせず、メディアやSNSで取り上げられているというだけで、ある情報を正しいとみなしてしまうことも少なくない。とりわけ、これはサイバースペースで顕著である。人気のある政治家や芸能人が何の気なしに呟いたことが瞬く間に拡散されて――たとえフェイクニュースだったとしても――それを覆すのがなかなか難しい状況になる。そして後になって、その発言者が拡散者もろとも叩かれる。よく目にする身近な光景だろう。

これが、正しさはつくられる、ということだ。真偽や善悪とは無関係に、うまく拡散される（バズる）ことを言えば、そこで事実が生産されてしまうのである。多くの人の心を捉えることができれば、白は黒になる、というわけだ。もちろん、それは正確な意味での事実とは呼べないものであるが、重要なのは、大多数がその情報を正しいと信じてしまえば、それをひっくり返すのが至難の業になる、ということの方である。

こうしたポスト・トゥルースの状況が深刻化すると、一方では、いかなる物の見方も人それぞれを越えられず、他方では、人気や多数決によって正しさはつくられていく、という事態になる。ここで終わりなき日常を考慮に入れるなら、こんな感じになるだろう。まず、代わり映えしない退屈な日常がある。そこに、心を動かす情報が飛び込んでくる。ちょうど腹をすかせた魚がルアー（擬餌）に喰いつくように、私たちはいとも簡単にフェイクニュースに飛びつく。そうして、ポピュリズムが台頭し、何が正しいかはつくられていく……。

ガブリエルが立ち向かうのは、まさにこの構築主義的世界イメージにほかならない。構築主義が残したのは、すべては幻想かもしれないという幻想だと考えてみよう。現実世界の堅固な事実を人それぞれの解釈に委ねて否定してしまうことで、人間の認識から独立してある存在は著しく損なわれてしまった。しかし、哲学の出発点にすべきは、私たちはそれ自体として存在している世界を認識している、ということである。実際、太陽が地球よりも大きいという事実は、人間とは無関係に成立する事実だし、高度な測量術によって人間はこの事実を認識することができている（私たちが見る太陽は空よりも小さいことに注意されたい）。

本書では新実在論の主張をこれ以上深追いしないが、ガブリエルの賭けどころは、「事実は存在する」という端的な主張を、意味や価値の領域にまで拡張しようとすることにある。すなわち、善悪の基準となる道徳的事実は存在する。道徳の普遍的根拠は文化的差異に回収されず、私たちの個人的意見や集団的意見に依拠しない、というのだ。自由や道徳も実在するのである。

たとえば、ガブリエルによれば、子どもを虐待してはならないという命題は、文化によって相対的なものではなく、すべての人間が承認すべき基礎的な道徳的事実である。この事実を構築主義的な視線によって危うくするのではなく、この道徳的事実を事実として認めていかなければ、道徳的進歩は望めない。すなわち、道徳は文化や時代の制約を超えて実在する、ということを認めることで、初めて人間は自由になれる、というのである。

たしかに、近代社会の土台となる概念（自由、人権、民主主義など）は、人間が存在しなければ存在しなかったかもしれない。この意味で、それは人間がつくったものである。しかし、人間がこれらをつくりあげたこと自体は一つの事実だと言える。道徳的概念の実在性は、それがつくられたものであるという事実と矛盾しない。実在を築き上げることは可能だからである。

注目すべきは、このような構築主義批判はガブリエルが単独で行なっているものではなく、現代思想全体に広く共有された認識となりつつある、ということだ。たとえば、人間だけではなくモノをもアクターとし、その結びつきを辿ることで社会学の本義を取り戻そうとする「アクターネットワーク理論（ANT）」の提唱者ブリュノ・ラトゥールは、社会構築主義における「構築」の概念が相対主義と結びついてしまっていることを批判し、こう書いている。

> 私たちが「ある事実が構築される」と言うときには、さまざまな事物を動員することで、堅固で客観的な実在性が報告されることを示しているにすぎない。そして、そうした事物の組み合わせはいつもうまくいくわけではない。他方で、「社会構築主義」は、この実在性を構成しているものを何らかの他の素材、つまり、社会的なものに置き換えることを意味している。実在性は、「実のところ」社会的な素材で築かれるというわけだ。
>
> （ブリュノ・ラトゥール『社会的なものを組み直す』、一七一―一七二頁）

ＡＮＴはある種の構築主義を支持する。ところが、それは相対主義には陥らない。というのも、ＡＮＴでいう構築されたものとは、さまざまなモノのネットワークに裏打ちされた動かしがたい実在性を有する事実だからである。それに対して、従来の社会構築主義は、構築物をそれぞれの社会や文化に対して相対的なものとみなし、構築主義を相対主義と同一視している。

が、その断定は誤りである。構築主義と実在論は両立しうるからだ。実際、自然科学の研究室で行なわれていることは、諸々の条件を整えることで事実を*つくりあげる*ことなのだ。自然科学は、さまざまな科学的事実を構築しつつ、しかし同時に、広範な客観認識を創出することに成功している。構築物は必ずしも相対物とは限らない。

このように、二一世紀に入ってからの現代思想は、急速に実在論的色彩を強めているのだ。それは、さまざまな対象が人間から独立してあり、しかも人間はそこにアクセスできる、ということを言おうとしている。この動きは倫理学にまで及んでおり、そこで展開されているのは、善悪の普遍的秩序は実在しており、人間の精神はその事実を認識できる、という新しい道徳的実在論である。これは、普遍性（全体性）は文化的多様性を抑圧する、というポストモダン的世界像に慣れ親しんだ人にとっては、かなり斬新な響きを持つにちがいない。

客観的に存立する道徳的事実は、人間が存在する過去、現在、未来のすべての時代に妥当しており、文化、政治的意見、宗教、性別、出自、外見、年齢に依拠することがない。端的に言えば、道徳的事実は昔から存在していて、人間はそれらを発見しているだけだ、というのである。いま、現代哲学では道徳の普遍主義が現われているのだ。

ところで、こうした一見素朴にも見える、ガブリエルのストレートな物言いが人びとに歓迎されているのは、新実在論が九〇年代に行き場を失った「善への意志」の新しい受け皿になっているからではないだろうか。すなわち、これは「動物化」の向こうを張る考え方とも読み取れるのだ。動物化の陰でくすぶっていた善への意志が、遂に表舞台に出てきたのである。

しかし、この動向をどう考えればよいだろうか。道徳の実在は、構築主義や人それぞれを本当に乗り越えるのか。また、新たな希望によって、〈私〉の不在や不能感は打ち消されて、〈私〉は再び存在を取り戻すのだろうか。さらに深く考察していこう。

パッケージ化された善に警戒せよ

構築主義的相対主義に限界が来ていることは間違いない。それは、当初、人間の自由を抑圧する封建的な社会制度や慣習を批判する際に大いに力を振るったが、大きな物語が解体された後に残されたのは、終わらない日常と動物化への渇望、そして、行き場を失った善への意志である。要は、再構築なしの解体は、社会にある種の閉塞感をもたらした。

先に論じたように、日本の現代思想は人間的欲望が動物的欲求に変質し始めていることを指摘してきた。そして、これはポストモダンの雰囲気と明らかに重なるものだ。まさに動物化するポストモダンなのである。それに対して、新実在論は、かつていったん反故になった普遍倫理に新しい世代が辿り着くための、いわば分かりやすい最短経路を示して見せる。それは、善への意志がどこへ向かうべきかを教えようとしているのだ。ガブリエルは、物語とは別の仕方で普遍性を立ち上げている。

以上のことを踏まえるなら、現代哲学における実在論の興隆には、構築主義（ポストモダン思想）が古くなり飽きられつつあるという思想史的理由だけではなく、〈私〉の中に確かなことや正しいことを求める欲望が沸き立ってきているという実存的理由を見出すことができそうだ。つまり、新実在論は、ポストモダン以後に生まれた新しい世代の倫理意識の表明であり、だからこそ、それは本質的に実存主義なのである（＝新実存主義）。

しかし、善への意志には落とし穴がある。もし私たちが善悪の基準をコンビニの商品のように気軽に選んで手に取っているとしたら、その心のメカニズムは、本質的に、九〇年代に屈折した社会理想がオウム真理教の信者に流れ込んだのと変わらない。この場合、〈私〉は〈私〉の外部から提供されるパッケージ化されたレディメイドの善を受け入れているだけだからである。たとえそれが悪気のない無邪気な行為だとしても、自らの生き方に深くかかわる倫理の根拠は、本来、決してアウトソーシングできないはずのものだ。

経済思想家の斎藤幸平は、『人新世の「資本論」』の冒頭に、「ＳＤＧｓは大衆のアヘンである」というショッキングなテーゼを置いている。ＳＤＧｓはある種の免罪符として機能しており、気候変動という差し迫った現実の危機から目を背けるためのグリーン・ウォッシュを助長する、というのである。この主張自体には賛否両論あるだろうが、私が共感するのは、欧米から示されたＳＤＧｓ＝パッケージ化された善の指針を有り難く頂戴し、その指針に従っていれば、何となく「よさ」へのコミットメントが果たされると思っている、その危うさである。

　これはガブリエルの日本的受容にも言えることだが、外部から示された善のパッケージを単に無反省に享受するのは——私はこれを戦後民主主義の議論にまで拡張するつもりはないが——ほとんど考えていないのと同じである。〈私〉の反省的思考が不在のまま、善を求める欲望だけを漠然と充たしているからだ。

　そのパッケージの中身が本当によいものであれば、実害は少ないかもしれない。しかし、かりにそこに悪が混じっている場合には、その何気ない受容が大変な事態を出来させかねない。なぜなら、この態度はいとも簡単に**全体主義化**するからである。

　一六世紀のフランスの思想家エティエンヌ・ド・ラ・ボエシは、独裁者に隷従する民衆について、こう書いている。

> 彼らは隷従をやめるだけで解放されるはずだ。みずから隷従し喉を扼（えぐ）らせているのも、隷従か自由かを選択する権利をもちながら、自由を放棄してあえて軛につながれているのも、みずからの悲惨な境遇を受けいれるどころか、進んでそれを求めている

のも、みな民衆自身なのである。（エティエンヌ・ド・ラ・ボエシ『自発的隷従論』、一八頁）

独裁者の権力が民衆を力ずくで押さえつけることで、民衆は厭々服従している。私たちが思い浮かべる独裁制の典型的なイメージはそういうものだ。しかし、ここでラ・ボエシが指摘しているのは、むしろ独裁者の圧政を完成させるのが民衆の隷従である、という逆説的な事態にほかならない。つまり、民衆は進んで自由を手放し隷従を求めている、というのである。

ラ・ボエシが描いているのは、近代国家成立以前の、すなわち自由の普遍性が広く自覚される前の圧政的な政治システムについてだが、この洞察は自由を選択するという自由を手放しているという点では、私たちの時代状況にも重なる。

ただし、いま眼前に置かれているのは、圧政者から加えられる暴力や蹂躙ではなく、すべての人間が自由な生活を営むために必要な最低限の条件である、と言えそうだ。すなわち、それを受け入れる以外に道はないと思ってしまうようなパッケージ（ジェンダー平等、持続可能な社会、格差の是正など）である。つまり、言ってみれば、私たちは自由を選び取らされているのだ。

自由の全体主義だったら悪くはなさそう、と、そう思う人もいるにちがいない。しかし、そこに〈私〉の選択が介在していなければ、その承服にはかなり危ういところがある。というのも、何か問題が起きたときに、その責任の引き受け手がいなくなるからだ。パッケージのせいか、政府のせいか、メディアのせいか。誰かを悪者にするのは容易いが、それぞれの〈私〉はイノセントなのだろうか。いつもそれで済ませてきてしまったことが、じつは諸悪の根源かもしれないのである。

しばしば指摘されてきたことだが、全体主義の担い手は、私たちと同じような境遇を生きる「普通の人びと」だった。アメリカの歴史学者クリストファー・R・ブラウニングは、そのような人びとが大量殺戮と日常生活を一体化させるという異常性を、ホロコーストについての広範な資料研究によって分析した。労働者や下層の中産階級が警察予備隊として編成されて、ある日唐突に、その赴任地の村や町のユダヤ人を殲滅するように命令される。そして、なぜかこの異常な命令に従ってしまうという、その構造とメカニズムを明らかにしたのである。

ポーランドのユゼフフという村で行なわれた大量殺戮では、第一〇一警察予備大隊を統率する少佐が、隊員のうち年配の者で、かつ、任務を遂行できそうにない者は名乗り出れば任務を免除する、という旨のことを事前に述べた。少佐の顔は青ざめ、彼は目に涙を浮かべながら話していたので、通常では考えられないこの提案には信憑性があった。

どのくらいの兵士が名乗り出たか。およそ五〇〇人いた隊員のうち、わずか一二人ほどである。彼らだけが前に出て、任務に関与することを免れた。その理由をブラウニングは次のように考察している。

大量虐殺について考察する上で、時間の欠如と同じくらい重要なことは、順応への圧力であった。——それは軍服を着た兵士と僚友との根本的な一体感であり、一歩前に出ることによって集団から自分が切り離されたくないという強い衝動である。大隊は最近になって兵力を定員にまで満たしたところであったので、隊員の多くはお互いをよく知らなかった。…（略）…にもかかわらず、あの朝ユゼフフで一歩前に出ることは、戦友を置き去りにすることを意味した。そして同時に、自分が「あまりに軟弱」ないし「臆病」であることを認めることを意味した。

（クリストファー・R・ブラウニング『増補　普通の人びと』、一二六－一二七頁）

ここに自分のことが書かれている、と思う人は少なくないはずだ。社会は個性や多様性の尊重を求める。しかし同時に、異様なまでに空気を読むことも求められるのが、日本社会である。周囲の空気を読みながら、多様性を担保することは可能なのか。これは誰しもが感じる率直な疑問だが、重要なのは、私たちのほとんどが、そこから一歩前に出ることをしていない、という事実の方である。

みんなが何となく受け入れていることを、自分も何となく受け入れる。周囲の人がマスクを外さなければ自分も外さないし、授業や会議で意見を求められても当たり障りのないことだけを言う。この同調的倫理意識は、全体の社会規範を維持するうえでは一定の有用性を含むが、一歩間違えると、全体主義に抵抗するための拠点を壊滅的な仕方で失うものである。

とはいえ、言うまでもなく、ナチス政権下の軍隊の命令と善への意志の担い手たちが陳列するパッケージを同列に置くことはできない。ガブリエルが提示するのは自由の普遍性であって、ホロコーストではない。それに、ＳＤＧｓにしても、その内容は基本的に重要なことである。何もしないよりは、善のパッケージに同化して、よいことを為した方がましなように思われる。

しかし私たちは、ナチス政権が、少なくともその始まりにおいては、民主主義的な手続きで誕生していることを心に刻んでおかねばならない。善のパッケージに飛びつくことが全体主義を招くことはありえない、と決めてかかることはできず、その無反省な思考が全体主義の一つの条件になる、ということだ。

全体主義は、私たち自身の可能性の一つとして、つねに存在しているのであり、その実現を阻止したいなら、全体主義が提示する危険で差別的なコンテンツよりもむしろ、全体主義的雰囲気を何となく受け入れてしまう人間の心の方を警戒すべきなのだ。そのために求められるのが、思考の起点となる〈私〉にほかならない。

つまり、こういうことである。最終的な着地点は一緒でも構わない。たしかに、自由の普遍性は否定しがたいし、これはおそらく、近代以降の人間と社会にとって最も重要な考え方の一つである。しかし、跳躍するときは自分で跳ばなければならないのだ。ある考えに至るまでの手続きこそが何よりも重要であり、結果として、ＳＤＧｓや道徳的実在論と同じ場所に着地するのなら、それはそれで一つのことである。

上から降りてくる神託に善への期待を託すのではなく、自分の思考の中で、さまざまな倫理的議論の妥当性を吟味する。要するに、具体的な行動や判断の動機は、あくまで自分自身から生まれてくるものであるべきなのだ。善のパッケージを手軽に買うのではなく、それがどうして「よい」と言えるのかを、〈私〉の体験の内側から取り出さなければならない。〈私〉を導くための哲学的思考については、次章で詳しく論じるつもりである。

目を閉じて、〈私〉の声を聴く

少し遠くまで足を延ばしすぎたようだ。しかし、ここまでの議論は、〈私〉とその不在を考えていくための重要な足がかりになる。以下、検討の成果を要約しつつ、退屈が〈私〉の存在感にどうかかわっているのかを、改めて考えてみよう。

まず、私たちが取り組んだのは、サイバースペースに接続されることから出来する疲労の本質である。それを感じているのは、食べていなくても、食べていても退屈から抜け出せなくなった食傷精神だ。ちょうどミニオンズが文明という安全地帯にいるがゆえの憂鬱を感じたように、いま人間は退屈から抜け出せなくなっており、それがサイバースペースへの依存を加速させている、と言えるのだ。そして、退屈の悪循環の中で、〈私〉は世界の方に埋没し始めているのである。

つぎに、日本の現代思想を手がかりにして、〈私〉の退屈の発生的構成を分析した。すなわち、どうして私たちは退屈を感じるようになったのかを、通時的に考えてみたのである。すると、現代社会では、終わりなき日常が招く暇と退屈に対処するため、二つの「欲」が出てきている、ということが明らかになった。それは、「動物の欲求」(動物化)と「人間の欲望」(善への意志)である。

これらをサイバースペースの文脈に置き直してみるなら、一方で、〈私〉は没頭できたり夢中になれたりするエンタメ的コンテンツを消費しているが、他方で、人間や社会の理想に触れることができる倫理的コンテンツを消費している、ということになる。後者には、不倫、賭博、談合、侵略戦争など、いわば倫理的ではないものを見ることで倫理意識を再確認する作業も含まれているだろう。激しくエスカレーションする政治批判も、突き詰めれば、その人間の倫理意識の表明にほかならない。

注目すべきは、食傷精神は、ほとんどの場合、惰性に身を任せ、強迫観念に追い立てられるように、これらのコンテンツを消費し、ますますサイバースペースから抜け出せなくなっている、ということである。しかも、動物化と善への意志は未だ漠然としており、そこに通奏低音として流れている退屈は打ち消せていない。これらのこと全体が自覚されないまま、精神の食傷が進行しているのである。

〈私〉の外側の世界は見るが、〈私〉の内側の声は聴かない。他者と対話することはあっても、自己と対話することはない。慢性的な暇と退屈をはぐらかすために、いつもスマホを見ているわけである。こうして、希薄になってきているのが、〈私〉という存在である。果てしなく広がる情報や関係性のネットワークだけが存在していて、それをとりまとめる中心が不在になってしまったのだ。〈私〉のドーナツ化現象とでも言うべき事態である。

ところで、現代思想では、しばしば〈私〉の脱中心化は肯定的に論じられる。〈私〉の哲学はエゴイズムやヨーロッパ中心主義の表象と重ねられ、〈私〉は社会的－文化的に構築されていること、〈私〉のエゴイズムを乗り越えるためには、他者中心の倫理学が必要であることなどが、声高に主張されている。それゆえ、ほとんどの現代思想は反－〈私〉の哲学だと言っていい。〈私〉は乗り越えられるべきものとみなされているのである。

だが、〈私〉にとって最大の問題が〈私〉である、ということは動かないし、どれだけそこから逃れようとしても逃れられないのが〈私〉である。何度も述べてきたように、〈私〉はデフォルトだからだ。また、〈私〉の意識は、およそ生の途上で遭遇する一切がそこに現われてくる現前の場所でもある。この事実を否定することができない以上、構築主義や他者の倫理学で〈私〉をかわすことはできないのだ。〈私〉から離れようとしている当の存在が、〈私〉にほかならないのだから。私たちはもう一度、〈私〉を取り戻さなければいけない。世界に目を閉じて、〈私〉の声を聴くのである。

〈私〉の存在感が希薄になった状態で退屈な日常を生きているからこそ、私たちは、動物の欲求や人間の欲望が不意に充たされたとき、それを絶対視してしまいがちになる。気候変動でもオーガニックでも反出生主義でも何でもいい。〈私〉が探していたものは「これだ！」という発見の快楽は、私たちを近視眼的にするだろう。このようなのめり込みは、時として、〈私〉とは異なる考えや立場に対する不寛容を助長する。サイバースペースで繰り広げられるうんざりするような信念対立は、このことを傍証しているようにも見える。議論の中身の妥当性を云々言う前に、言論に臨む態度が目に余るのだ。

〈私〉が育て上げてきた世界観に適合する善のパッケージに依存する人間は、この世界に複数の理想が存立することを受け入れられない。特定の理想に動物的に熱中してしまえば、他者の視線に気づけなくなるからだ。それは、善への意志と動物化が一体となった状態だ。善への動物的熱狂に他者を受け入れる余地は残されていないのである。

以上のことは、ポスト・トゥルースの世界観の中で当たり前になった「人それぞれ」に対する反動とでも言うべきもので、哲学的には、相対主義に対抗する独断主義が出てきた、と見ることができる。つまり、絶対的な正しさによって、人それぞれの状況を打開しようとしているのである。しかし、私の考えでは、この試みは必ず失敗に終わる。信念対立を調停する原理を持たないからだ。

絶対的な正しさを争うのではなく、思考の「原理」と世界への「態度」を身につける。〈私〉を深く見つめ直すことは、他の〈私〉(＝他者)を尊重する態度を陶冶するだろう。それぞれの〈私〉が〈私〉を取り戻すことで、複数の〈私〉による協働のプロジェクトとして、言論は再始発することになるのだ。そして、これはデフォルトの〈私〉を受け入れることから始まる。どうにもならない〈私〉が、ここにいるのである。

第二章　〈私〉を取り戻すための哲学的思考

「新デカルト主義」宣言

〈私〉を奪還する方法、これを突き詰めて考えれば、デカルトが一つの答えを出してくれる。哲学史を知っている人の中には、近代哲学の始まりに位置するデカルトの遺産をいまさら取り上げる必要なんてあるのか、と疑問に思う人もいるにちがいない。デカルト哲学はすでに時代遅れであり、もっと新しい哲学が求められているのではないか、と。しかし、本当にそうだろうか。

　我思う、ゆえに我在り――おそらく哲学史上、最も有名な格率が表現しているのは、〈私〉の内側からすべてを打ち立てようとする、哲学者の根本態度である。デカルトはあらゆる認識のための確実な出発点を見出すために、疑いうるものを徹底的に疑ってみる（＝方法的懐疑）という、極めてユニークな方法をとった。そうして、デカルトが辿り着いたのは、世界認識の究極的な基礎となる「我思う」である。平たく言えば、私が疑っていることそのものは、どうやっても疑えない、ということだ。

　デカルトが提唱した〈私〉の哲学は、とりわけ近代哲学以後、二〇世紀後半に一世を風靡したポストモダン思想や、二一世紀に新しく登場した現代実在論から散々批判されてきた。デカルト的コギトは社会から孤立している、デカルト哲学は基礎づけ主義である、

〈私〉の哲学は人間中心主義である……。たしかに、方法的懐疑という奇妙な手続きの末に立ち上がるデカルト的コギトは——現実的かつ社会的諸関係を無視した——観念の内側でのみ正当化される亡霊のようにも見える。

それゆえ、デカルトは「言語論的転回」（認識の問題から言語の問題へとパラダイムを変えるべきだという主張）からも「思弁的転回」（カント以後の観念論を批判して、新たな実在論へ向かうべきだとする主張）からも取り残されている。これが広く流布した一般理解だと言ってよい。

たとえば、言語論的転回を主導したリチャード・ローティは、『哲学と自然の鏡』の序論で、こう述べている。

> われわれの哲学的確信のほとんどは、命題よりもむしろ描像によって、言明よりもむしろメタファーによって規定されている。伝統的哲学を虜にしている描像は、さまざまな表象——あるものは正確であり、あるものは不正確である——を内に含み、純粋に非経験的な方法によって研究することのできる巨大な鏡としての心という描像なのである。鏡としての心という概念がなかったならば、表象の正確さとしての知識という概念が思いつかれることはなかったであろう。この後者の概念がなかったならば、デカルトとカントに共通する戦略——いわば鏡を点検し、修復し、磨きをかけること

によって、より正確な表象を手に入れようという戦略——は意味をなさなかったことであろう。

（リチャード・ローティ『哲学と自然の鏡』、三一頁）

哲学のディスクールは、真偽が確定される命題や言明ではなく、イメージやメタファーに依拠している。そこで、デカルト以来の根本イメージを端的に言えば、心とはそこに世界（実在）が映し出される鏡である、というものである。すると、世界についての正しい知識とは、心が持つ表象の正しさである、ということになるだろう。

たとえば、リンゴについて正しい知識を得るためには、リンゴそのものの姿を正確に心に映すようにしなければならない。ここで心が歪んでいたら、リンゴが何であるかを正しく把握することはできない。巨大な鏡である心を磨き、そこに映し出されたリンゴを正確に記述することが重要になるのだ。そうすれば、リンゴについての正しい知識が手に入る。それゆえ、哲学が取り組むべき第一問題は、鏡としての心とは何か、というものになる。鏡の本性を知らなければ、そこに映し出される世界を知ることはできない、と考えられたからである。

こうして、近代哲学の最大の努力は、心という鏡が何であるのかを究明することに向けられる。心に映し出されたものをそのままの状態で取り出すことができれば、世界の本質が明らかになる、と信じられたのだ。そして、この前提にあるのは、主観（心）が客観（世界）を認識する、という主観－客観図式である。

　ところが、デカルト以降の近代哲学は、このイメージそのものが誤っているかもしれない、という可能性に考えを巡らせなかった。ローティの立場から見れば、近代哲学は「自己欺瞞的な努力」を積み重ねていたにすぎない。客観的知識のための絶対的基礎を発見するという目標は、客観的学問の樹立という近代の理想が産み落とした、いわば嫡子だが、しかし、それは学問の実質的進展とじつは無関係である、というのだ。

　この先も学問は発展し続けていくだろう。だが、そこにデカルトの想定する認識の基礎は存在しない。おまけに、そのような目標を立てる必要もない。哲学が考えるべきは、客観認識のための主観的条件や心的構造ではなく、世界認識を先構成している言語だからである。つまり、認識の問題から言語の問題へと、哲学のディスクールを根本的に転回させなければならない。これがローティの主張である。

　もう一つ、デカルト批判の典型を見てみよう。神経学者のアントニオ・R・ダマシオは『デカルトの誤り』において、このように書いている。


　　これがデカルトの誤りである。すなわち、身体と心の深淵のごとき分離。大きさがあり、広がりがあり、機械的に動き、かぎりなく分割可能な身体と、大きさがなく、広がりがなく、押すことも引くこともできない、分割不可能な心との分離。理性、道徳的判断、そして身体の痛みや情動的激変に由来する苦しみが、身体から離れて存在するという考え。心のもっとも精緻な作用の、生物学的有機体の構造と作用からの分離。

（アントニオ・R・ダマシオ『デカルトの誤り』、三七七頁）

デカルトは、心と身体（物）に別々の実体を与えることで（＝心身二元論）、心から身体を切り離してしまった。デカルトによれば、世界は心と物という二つの実体からできている。それらの違いは、次のように説明される。すなわち、心は考えることをその本性とするが、物の本性は一定の空間を占有することである。また、心は分割されないが、物は分割される。それゆえ、心と物はまったく異なるものであり、それぞれ固有の存在様式を持つのだ、と。

しかし、ダマシオからすれば、このアイディアは、端的に誤っている。心は、脳や身体との有機体的連関の中で、捉えられなければならないからだ。物理的なものから切り離された純粋な自我は存在しない。人間の心というものは、人間が脳と身体を持つ生物である、という事実を抜きにしては考えられない。心は、身体が属している物理的－社会的な環境世界から、大きな影響を受けるのである。

したがって、デカルト的コギトは、観念論的に行き過ぎた抽象の産物であり、その誤謬によって「生物学的に複雑な、しかし脆弱で、有限で、独特な有機体の中にある人間の心の起源」および「その脆弱さ、有限性、独特さに内在する悲劇」が見えにくくなっている、というのである(同書、三七九頁)。

つまり、ローティは心が世界の鏡であるというデカルトの描像を批判し、ダマシオは身体と切り離されたデカルトの心を批判したのだ。もちろん、これらの批判にそれなりの理があることは、私も認める。

分析哲学の視点から見れば、デカルトがこだわる認識問題は――ヨーロッパ哲学全体への影響を無視することはできないにしろ――古すぎるように思われるし、彼の出した答えが心身二元論をはじめとする難問を引き起こしたことも事実である。『情念論』において、情動、脳、身体と心の関係が議論されてはいるものの、現代科学の水準からすれば決して十分とは言えず、心身二元論は未決のまま現代哲学に持ち越されている、と言える。身体が傷つけば精神も傷つくという当たり前の事実を、デカルトの導き出した純粋すぎるコギトは覆い隠してしまうように見えるのだ。

だが、にもかかわらず、デカルトが提起する思考の原理はいまもなお動かしがたい。私はそう考えている。デカルトが見出した〈私〉の絶対性と有限性は――〈私〉の意識をそれ以上疑うことはできないが、しかし、その存在と認識は完全ではない、という洞察は――簡単にひっくり返るようなものではなく、哲学的思考の始発点を示し続けているからである。

さて、〈私〉の絶対性と有限性を肯定し、一切を主観の内側から打ち立てようとする立場を「新デカルト主義」と呼んでおこう。この立場に寄与する哲学として、デカルト哲学の他に、ピュロン主義とフッサール現象学を挙げることができる。ピュロン、デカルト、フッサール――私は広い意味でのデカルト主義を擁護することにしたい。総じてこれらは、〈私〉の哲学である。

新デカルト主義は、表面上、意識体験の内側で普遍認識の本質条件を捉えようとする認識論へと哲学を差し戻すことを意味するが、私の考えでは、ポストモダン思想や現代実在論に認識論の本質的課題を解決することはできていない。このことについては、私の前著『〈普遍性〉をつくる哲学』の中で詳しく論じたが、本書での新しいチャレンジは、このデカルト主義を鍛え直し、そこから現代的‐実存論的な意義を引き出すことにある。

私の主張を端的に述べよう。私は、疑いうる一切のものを疑った後に、意識体験だけが対象確信の不可疑性の根拠になる、というデカルト的思索の進み行きとその結論を支持する。〈私〉の意識体験の内側を反省的に見てみるなら、そこには対象がそのような対象として構成されるための、動かしがたい条件と構造があるのだ。

つまり、意識体験に現に与えられている対象が別様である可能性は存在せず、その見え方を一つの材料として、対象一般の本質を探っていける、ということだ。リンゴが見えているときに、リンゴが見えていないと言うことはできず、意識体験へのリンゴの所与というエヴィデンスから出発して、すべてのリンゴに共通する本質を考えていけるようになるのである。本質洞察の手続きについては、次章で具体例に即して論じるつもりだ。

新デカルト主義は、食傷に病む精神の可能性の原理である。この思考法を新しくインストールし、頭にたまっているキャッシュを削除する。そうして、〈私〉の認識への信頼を取り戻し、そこから新しいつながりをつくっていく可能性を手にするのだ。最終的に、それは、複数の有限な〈私〉の連帯になるだろう。以下、新デカルト主義の内実を見ていきたい。

人間は世界を正しく見ることができるのか

最初に取り組むべきは、**新デカルト主義の中心にある問い**を明確にしておくことである。それは、**人間は世界を正しく見ることができるのか**、というものである。この問いは古代ギリシア哲学から続く認識論の根本問題の一つだが、ここで重要なのは、この問いがじつは私たちの生の態度決定に深くかかわっている、ということだ。人間は世界を正しく見ることができるのか。かりにそれができたとして、その正しさの尺度は万人に共有されうるものなのだろうか。順を追って、考えてみよう。

ふつう、この問いは二つの仕方で答えられる。一つは、人間は世界を正しく見ることができるというもの。この場合、私たちは世界についての客観的な知識を得ることができる。もう一つは、人間は世界を正しく見ることができないというもの。この場合、世界を記述する唯一の方法は存在せず、認識は相対的なものとなる。

身近な例を出そう。私たちは、社会にさまざまな考え方や価値観があることを知っている。たとえば、会社のプロジェクトの方針を同僚と話すとき、たいていの場合、いくつかの異なる意見が出て、それらを少しずつ調整して結論を出さなければならないだろう。恋愛相談でも、「そんなやつとは別れたほうがいい」と言われたり、「やっぱりもう少し頑張ってみなよ」と言われたりする。

人によって、物の見方は違う。あえて強く言うなら、結局、人それぞれ。いま、この認識は当たり前になりつつあり、むしろすべての人が同じ意見だったら、それこそ驚いてしまうだろう。議論を呼ぶ問題であるはずなのに、すぐに満場一致の合意に達することがあれば、出る杭を打つために、何らかのパワーが背後で働いているにちがいない、という憶測を呼ぶかもしれない。全員が完全に同じ方向を見ているという状況は――軍隊などの特殊な組織を除いて――どこかおかしいのだ。こういう直感を誰もが持っている。

ところがその一方で、特定の領域では一人ひとりが同じ認識を持っている、ということも疑えない。会社のプロジェクトの方向性や恋愛相談の中身では対立するかもしれないが、そこに会社が存在するという端的な事実や、恋愛がしばしば深刻な悩みを引き起こすという共通認識があるからこそ、そこに多様な見方を出すことが可能になる。あるいはまた、多様な見解が検討された結果、共通の合意に至ることもあるはずだ。こうして私の本を読んでいるのも、書店や図書館に並べられた本を、誰もが同じように手に取ることができるからである。

さて、だとすれば、人間の認識には、共通する部分と共通しない部分がある、ということになりそうだ。共通認識が成立することもあれば、反対に、人それぞれの相対性に帰着することもある。このことを哲学の問いにすると現われるのが、人間は世界を正しく見ることができるのか、という先の疑問にほかならない。

主客一致の認識問題

人間は世界を正しく見ることができるのか、という問いは、「主客一致の認識問題」と呼ばれる。それは、主観は客観それ自体を認識している、ということを証明しうるのか、という問題である。つまり、〈私〉は目の前の対象の真の姿を知りうるのか、と問われているのだ。一見すると、容易に解けそうな問題だが、これにＹｅｓ／Ｎｏを出すのはそう簡単ではない。

説明しよう。たとえば、机の上に置かれたリンゴを見ている場面を想像してほしい。まず、よほどの懐疑主義者でない限り、リンゴがそこにあることを疑ったりしないだろう。それだけではなく、〈私〉はリンゴそのものを見ている、と確信しているはずだ。そんなことを意識すらしていないかもしれない。〈私〉は何気なくリンゴを見ていて、リンゴの実在を疑わない。これが私たちの日常的な態度だと言える。

ところが、このことを証明しようとすると、事態は急に怪しくなってくる。試しに、〈私〉が見ているのはリンゴそれ自体の姿である、という素朴な確信に対する反論を出してみよう。まず、〈私〉に見えているリンゴの像は幻覚ではない、と断言できるだろうか。一般に、感覚は人を欺く。人間だと思っていたものが、じつはマネキンだったと判明することはあるし、誰かに話しかけられたと思って振り返ったら、空耳だったということもある。それゆえ、人間の感覚は、物自体を受け取るインターフェイスではなさそうである。

それに、ほとんどの人はリアルな夢を見たことがあるだろう（映画『マトリックス』や『インセプション』の世界観である）。〈私〉がリンゴを見ているのは、現実世界で起こっている出来事である、ということを厳密に証明できるだろうか。つまり、現実と夢を区別しうるか。もしできなければ、〈私〉の認識は虚構の世界で成立している、という可能性が残ることになる。当然この場合、リンゴそのものを見ているとは言えない。いつか目が覚めて、「リンゴを見ていたのは夢の中だったのか……」と思うことがないとは限らない。

以上のような懐疑的議論は、詭弁にすぎない。日常的な世界認識に鑑みれば、そう考えるのは正しい。だが、にもかかわらず、この認識問題を常識で片づけることはできないのだ。というのも、認識の対立は、常識的な見方を維持することから出来するからである。言い換えれば、いつの間にか身についた自然な物の見方がぶつかったときに、そこに調停不能な信念対立が生じる、ということだ。これは、認識論に取り組んでいく際、つねに戻るべき極めて重要な参照点である。

たとえば、世界は神によって創造されたと考える人と、宇宙はビッグバンによって誕生したと考える人では、世界像が根本的に異なる。ここで注意すべきは、宗教的世界像と科学的世界像は互いに自明かつ素朴な世界確信として形成されている、ということである。世界の発生をめぐる二つの根本仮説は激しく対立するだろう。対立がエスカレーションしていけば、殺し合いになることもある。

だからこそ、〈私〉は世界を正しく認識しうるのか、というアポリアは——哲学に固有の論理パズルではなく——私たちの生活に深く関係する主題なのだ。実際、人間の歴史を一瞥すれば、このような信念対立には事欠かない。それは、複数の理説が終わりなき闘争を繰り返してきたことの記録である、とさえ言える。

主客一致の認識問題については、これから詳しく見ていくが、ひとまず新デカルト主義の結論を言っておこう。すなわち、〈私〉は〈私〉から抜け出して、〈私〉の認識と客観それ自体の一致を確かめることができない。それゆえ、主観と客観の一致を証明することは決してできない。たとえ俯瞰的視点から、〈私〉は客観それ自体を認識している、と主張しても、その判断の根拠は〈私〉の主観的意識にあり、〈私〉が〈私〉の意識から出ることはできていないからだ。誤解を恐れずに言えば、〈私〉は〈私〉の意識体験に閉じ込められているのである。俯瞰的視点といえども、それはもう一つの〈私〉の視点にすぎない。

ところで、この独我論的な考えを押し進めると、一人ひとりの主観的な意識が人間の数だけ存在することになるだろう。そして、主観的な意識は一人ひとりが持っているものだから、普遍的なものなど存在せず、それは相対的なものでしかありえない、と解釈されてしまうかもしれない。だが、そうではないのだ。新デカルト主義は相対主義と独断主義の双方から距離を取るのである。

相対主義と独断主義の限界をなるべく簡潔に言ってみよう。すべての認識が相対的なものにすぎないとしたら、それはさまざまな問題を引き起こす。たとえば、数学や自然科学の客観性はどう説明されるのだろうか。それに基づく科学技術の安全性の問題も出てくる。また、人間と社会にとって善悪の根拠となるような諸概念、たとえば、人権や自由の普遍性は幻想にすぎないのだろうか。これらが見る人によって相対化されてしまうなら、無差別なテロリズムを非難するための根拠が失われる。すると、暴力を容認することになりかねない。さらに踏み込んで言えば、あらゆる認識は相対的である、という主張そのものも相対的であることになり、およそ言論というものが成立しなくなる。これが相対主義の限界である。

ところが逆に、世界それ自体が何であるかについての独断的主張は、調停不能な信念対立を引き起こす。宗教的世界像と科学的世界像の違いにとどまらず、特定の認識を絶対化すれば、複数の理想理念が存立し、それらが激しくぶつかりあうことになるのは想像に難くない。複数の〈私〉が、自らの正しさを断定することになるのである。さらに、独断的な理想は、それに従わない者を排除する。そうなると、独断主義は帝国主義や全体主義と変わらない。これが独断主義の限界である。

こうして、相対主義と独断主義はどちらもうまくいかない。注目すべきは、これら二つの立場の元にあるのが、まさに主客一致の認識問題にほかならない、ということである。このことが看過されてきたがために、相対主義と独断主義は、哲学史の中で繰り返し変奏されてきた。ポストモダン思想と現代実在論の対立は、その現代版なのである。

整理しよう。主観は客観それ自体を認識している、ということを証明しうるか。これは哲学上の難問の一つであり、簡単にＹｅｓ／Ｎｏを出すことはできない。にもかかわらず、これを本質的な仕方で解明できなければ、究極的には、暴力に対抗する術が失われる。相対主義と独断主義は――少なくとも暴力への対抗という観点からは――どちらともまったく役に立たないのだ。では、相対主義でも独断主義でもない、私たちが目指すべき哲学原理とは何なのか。

新デカルト主義の中心的課題は、まさしくこの点にある。まず、認識問題がいかに生じているのか、つぎに、認識問題の困難の本質とは何か。これらを原理的に解明することができれば、相対主義にも独断主義にも陥らないための方法が見えてきそうである。ここではさしあたり、それは〈私〉から出発して間主観的－普遍的な合意を創出しようとする哲学である、と言っておこう。

新デカルト主義は、至る所で溢れかえっている情報や関係性を片付けるための、いわばある種の静けさを示して見せるだろう。現実世界やサイバースペースが発するごちゃごちゃした喧噪を打ち消すことは、おそらくこの先もできない。が、〈私〉の内側に静謐な認識の根拠を確保することならできる。それこそは、すべての認識の根底にある〈私〉の絶対性と有限性である。とはいえ、これは現実から目を背けて、〈私〉の内面性に引きこもることを意味しない。むしろ、新しい仕方で世界にかかわっていくための準備作業なのだ。〈私〉の内側に静かな場所を確保することで、〈私〉と世界の根本的な関係を、その端緒から（原理的に）考えていくことができるようになる。しかし、そのためには、〈私〉の内面に深く潜っていくための具体的な方途を身につけなければならない。哲学者たちの議論を追っていこう。

判断しなくてよいという判断――ピュロン主義のエポケー

認識論の根本問題の起源は、驚くべきことに、古代ギリシア哲学にまで遡る。ここでは、古代ギリシアで誕生したピュロン主義哲学を見ていくことで、新デカルト主義の原理の一つである「エポケー」（判断保留）を考察しよう。それによって私たちは、判断しなくてよいという判断を正当化することになる。言い換えれば、判断を差し控えるという選択肢である。

ところで、デカルト、ヒューム、カント、フッサールといった近代認識論のビッグネームは、総じてみな、ピュロン主義の発想に強い影響を受けている。このあまり有名ではない古代ギリシアの一学派は、近代認識論の通奏低音なのだ。それは、近代哲学全体の方向性を示した哲学である、と言っても過言ではない。それゆえ、ピュロン主義を理解すれば、近代哲学が格闘した問題の核心が見えてくるはずだ。

さて、ピュロン主義はエリスのピュロンに始まるが、ピュロンその人自身について詳しいことはよく分かっていない。しかし、ピュロンの考えを引き継ぐ後世の人びとが、その哲学を伝えている。以下では、セクストス・エンペイリコス『ピュロン主義哲学の概要』を参照して、ピュロン主義の基本的な構えをなるべく簡潔に提示してみよう。

まず、セクストスを含め、ピュロン主義の円熟期を支えた多くの哲学者が経験派の医師（医学は観察と経験に基づくべきであるという立場）でもあったという事実は、注目に値する。これから見ていくが、ピュロン主義は意見や主張の断定を避けて、対象それ自体の本性が何であるか（つまり、対象の真の姿は何か）についての判断を保留する。だから、それは存在と認識の根拠を根底から揺るがす懐疑主義の顔を持つ。

しかし、だとすれば、どうしてピュロン主義は医学と密接に結びついていたのだろうか。この結びつきは意外である。だってふつう、医療従事者が懐疑主義者だなんて信じられないだろう。たとえば、病院に行ってX線検査をして、X線画像がそこにあるかどうかを医師が疑っていたら、それは馬鹿げたことだし、患者にとっては恐ろしいことでもある。診断の客観性を保証するには、医療はむしろ客観主義と相性がよいと思われる。

ところが、ピュロン主義者の多くが医師であったのは、決して偶然ではない。その理由は、こうである。まず、彼らはすべての信念に疑問符をつけるような極端な懐疑主義者ではなかった。ピュロン主義者が懐疑主義を支持したのは、独断的理論を医学に持ち込むべきではなく、医学は「経験」と「観察」にもとづくべきだ、という考えを持っていたからなのである（ジュリア・アナス／ジョナサン・バーンズ『古代懐疑主義入門』、五四頁以下）。

つまり、医師たるもの独断的態度で医療実践に臨んではならない——この信念がピュロン主義と医学のつながりを強固なものにしたのだ。彼らは、たとえ観察が別の病気の可能性を示唆していたとしても、それに目をつむって、その病状を既存の理論に当てはめてしまう独断主義的医学を警戒していたのである。そのような態度は学問の発展を妨げてしまう。観察が与える情報こそが第一のものであり、その目を養うことを医療の中心に据えたのだ。

では、ピュロン主義のエポケーとはいかなるものなのだろうか。すでに簡単に触れておいたが、ここは重要な部分なので、次のようにまとめておこう。

ピュロン主義のエポケー‥（a）対立する複数の現われは、いずれも同じくらい信頼できるので、特定の現われの優位を基礎づけることはできない、（b）それゆえ、対象それ自体が何であるかについての判断は、保留しなければならない。

（a）の部分から見ていきたい。まず、ここで「現われ」とは、〈私〉に対する対象の与えられ方を意味する。たとえば、リンゴは果物として与えられる。もっと細かく規定することもできるだろう。リンゴは赤くて丸くてつやつやした果物として与えられる、というように。一般に、対象は認識者Aに対してB**として**与えられるのだ。このBの部分が「現われ」だと考えればよい。

次に、「対立する複数の現われ」の部分を説明しよう。注意すべきは、対立する複数の現われは一つの対象について言われている、ということだ。すなわち、リンゴとバナナが別々の形で現われる、ということではなく、リンゴがさまざまな仕方で現われる、ということなのである。

たとえば、空腹のときには、リンゴは美味しそうな食べ物**として**現われるはずだ。ところが、気分がムカムカしているときには、リンゴは床に叩きつけたいもの**として**現われるかもしれない。果実商にとってリンゴは、大切な商品**として**現われるが、リンゴアレルギーの人にとって、リンゴは口に入れてはいけないものとして現われる。端的に言えば、生まれ持った体質や性質、そのつどの状況や関心によって、リンゴの与えられ方は変化する、ということだ。このような事態を「対立する複数の現われ」と表現しているのである。

　さて、ここでもし特定の現われの優位を述べることができれば、言い換えると、特定の現われがその対象の唯一絶対の正しい与えられ方だということを証明できれば、その現われこそがリンゴの真の姿であって、他は例外的なものである、と主張することもできそうだ。しかし実際には、それぞれの現われはどれも同じレベルなので、ある現われが対象の真の姿である、と主張することはできない。

　その理由は、こうである。第一に、どんな場合にも、認識者は特定のコンテクスト（自分が置かれている状況や文脈）において、対象を認識する。第二に、対象も特定のコンテクストを離れられない。結果、対象の現われはケースバイケースで変化し、認識者も認識対象もコンテクストから自由になれないからである。

　たとえば、一人の人が同じ対象を見る場合でも、対象認識の際の体調や周囲の環境はそのつど異なるし（暗がりではリンゴはぼやけて見える）、複数の人になってくれば、関心や身体性も大きく変わってくる（リンゴ好きの人とリンゴアレルギーの人）。さらに、人間と動物では物理的身体の体制と構造が異なるだろう（猫にとってリンゴは遊ぶものとして現われる）。加えて、認識者と認識対象は時間的に変化していく（嫌いだったものを好きになることがある。リンゴは徐々に熟れていき、やがて腐る）。だから、どれがリンゴの本当の姿なのかを言うことはできない。これが（a）の部分の概要である。

そうして、（b）の結論が導かれる。すなわち、対象それ自体が何であるかについての判断は、保留しなければならない。ここで対象それ自体とは、かりに神のような完全な認識者がいるとして、その認識が全的に（まるごと）把握する対象の真の姿である。さまざまな認識の条件によって歪曲されていない生の存在のことである、と言ってもよい。しかし、先に述べたように、特定の現われを選び取ることは、人間にはできそうにない。〈私〉の認識はいつもコンテクストに規定されていて、どこまでも有限なのだから。それゆえ、存在判断そのものを差し控えよう、というわけだ。

この判断を保留するという発想は、本書全体の背骨とでも言うべきものである。私たちは日頃から判断することに慣れているし、さまざまな場面で自分の立場をはっきりさせることを求められる。この点では、判断を保留するという選択は、ある種の現実逃避に見えるかもしれない。だが、ピュロン主義の洞察は、判断保留が一つの積極的な態度決定――〈私〉は判断しないという態度決定――であることを示している。ここには、ある判断を特権的に絶対化することはできない、という優れた洞察が含まれているのだ。このことの具体的意味については、本書全体を通して明らかになるだろう。

ところで、注意したいのは、さまざまな現われの背後に潜む対象それ自体は存在しない、とピュロン主義は主張していない、ということである。ピュロン主義者にとっては、「Aの真の姿はBである」という主張と「Aの真の姿は存在しない」という主張は、どちらも等しく独断的な臆見となるからだ。微妙な差に思われるかもしれないが、このことは、判断保留の意味を正しくつかむための肝心なポイントである。

もう一度、説明しよう。Aについて何らかの判断を行なうためには、Aから与えられる情報を参照する必要がある。ところが、Aから与えられる情報は、その時々の条件、状況、関心、関係性などによって変化する。それゆえ、複数の情報の中からAそれ自体に一致する情報を選び出すことはできない。端的に言えば、対象の認識は必ず一定の仕方で条件づけられている、ということである。

だから、Aそれ自体の存在-非存在について両方の判断を中止する以外に道はないのだ。Aがそれ自体として何であるかを言うことはできない。が、だからといって、Aそれ自体は存在しないと言うこともできない。〈私〉の意識体験に忠実になるなら、そこに与えられる複数の現われだけがある。そうして導かれる、判断しないという判断がエポケーなのである。

エポケー：対象それ自体が何であるかについては、判断を保留すること。

たとえば、原発が安全なのかどうか。この問いに絶対的な正解があって、原発それ自体が安全か危険かで議論を進めていくと、ほとんどの人は利害関係によってその立場を決めてしまうだろう。また、真理をめぐる抗争は激化しやすい。それに対して、原発それ自体が何であるのかを知ることはできない、という発想は、さまざまな調査や議論の余地を私たちに残す。さらに、それは——たとえそれぞれの意見が異なるとしても——最初に全員が共有する共通認識となり、何とか合意をつくろうとする努力を導くものである。

無論、いつまでもこの問いを先延ばしにすることはできないが、どこかに絶対的な正解があるという臆見が最初に来ると、自分とは違う立場の人の考えを聴くためのスペースが残らない。急いで判断をしなければならないときに、判断を保留して何になるのだという異論は確かに正しい。しかし、絶対的な正解を前提して議論を進めるのと、絶対的な正解を前提しないで議論を進めるのとでは、その対話の場の方向性や雰囲気が決定的に異なるのも確かなのである。そして、その雰囲気づくりこそが、何か物事を進めていくうえでの「鍵」となる、ということである。

どこかの段階で何らかの「答え」を出さなければならない。しかし、その答えに向かっていく姿勢や態度を上手に調整しなければ、私たちは信念対立の蟻地獄から出ることができなくなる。ましてや一定の時間的猶予がある場合には、判断保留は建設的な思考に不可欠なフェイズだ、とさえ言えるのだ。それは、答えを急がない姿勢を陶冶するからである。

　最後に改めて強調しておきたい。一見消極的にも見えるエポケーは、拙速かつ独断的な判断によって問いに決着をつけるのではなく、その探究を継続していくために採用される積極的な方法である。意識体験に何かが現われていることは否定しがたい。しかし、現われと存在の一致を言うことはできない。これら二つの合間にあって、ピュロン主義者は、肯定と否定の判断を両方とも差し控えることで、より深い思考の余地を未来に残そうとするのである。

　真実の発見も真実の否定も物事の探究をそこで終わらせてしまう。だから、エポケーを実行する。要するに、判断を保留しておく、物事をうっちゃっておくことは、それをいつか新たな形で再開し理解する可能性を残しておく積極的な姿勢だ、と言えるのである。分からないことやすぐに答えが出ないことを抱えてしまったとき、それをあえて〈私〉の中に置いておくこと——それがあるとき、あれはこういう意味だったのかと気づくこともある。これは一人の〈私〉として、世界に対峙する際の大切な態度なのだ。

何のために判断を保留するのか――アタラクシアを目指して

対立する複数の現われに決着をつけることはできない。したがって、対象それ自体が何であるのかについては判断を保留する。これが、ピュロン主義のエポケーが示す理路である。しかし、白黒をつけないという態度は、どのような心の状態を導くのだろうか。また、それは〈私〉の生き方にどうかかわっているのだろうか。つぎに、エポケーの実践的意義を論じてみよう。

ピュロン主義者が目指すのは「アタラクシア」（心の平静）である。一言でいえば、アタラクシアとは、煩わすものが何もなく、穏やかで乱されていない心の状態のことだ。私たちの文脈に置いてみるなら、たとえば、サイバースペースへの過剰接続に由来するノイズや、勉学やビジネスにおける巧遅拙速の強迫観念から解放されてあることを意味する。スクロールやスワイプに忙（せわ）しなく追われている日常は、到底、穏やかとは言えない。アタラクシアは心の静けさなのである。セクストスは、次のように書いている。

> 懐疑主義者の目的は、思いなしに関わる物事における無動揺［平静］と、不可避的な物事における節度ある情態である。というのも、懐疑主義者はもともと、諸々の表象を判定して、そのいずれが真であり、いずれが偽であるかを把握し、その結果として

無動揺［平静］に到達することを目指して、哲学を始めたのであるが、けっきょく、力の拮抗した反目のなかに陥り、これに判定を下すことができないために、判断を保留したのである。ところが判断を保留してみると、偶然それに続いて彼を訪れたのは、思いなされる事柄における無動揺［平静］であった。

（セクストス・エンペイリコス『ピュロン主義哲学の概要』、二〇頁）

興味深いことが述べられている。最初、ピュロン主義者は（独断主義者がやるように）物事の真偽を確定することで、情念や疑念に心がかき乱されない状態、すなわちアタラクシアに到達しようとした。しかし、その過程で分かったのは、複数の現われの力が拮抗している、という事実である。そこで、ピュロン主義者はやむを得ず真偽の判断を保留することにしたのだが、そうして偶然訪れたのが、何事にも心が煩わせられない状態だった、というのである。では、なぜエポケーはアタラクシアを導くのだろうか。セクストスはこう続けている。

というのも、何かが自然本来的に美しいことであるとか悪いことであると思いなす人は、たえず動揺させられる。そして、美しいと思われる物事が彼に具わっていないときには、自然本来的に悪い物事によって責め立てられていると考え、善い――と彼が思っている――物事を追い求める。ところが実際にそれを獲得してみると、一つには道理に反し度を過ごして興奮するため、一つには変化を恐れて、自分に善いと思われている物事を失ってしまわないよう、あらゆる努力をするために、いっそう大きな動揺に投げ込まれることになる。これに対して、自然本来的に美しいこと、あるいは悪いことについて不確定の態度をとる人は、何ごとをも熱心に回避することもなければ、追求することもない。そしてまさにそれゆえに、無動揺［平静］を得ているのである。

（同書、二〇－二一頁）

絶対にひっくり返ることのない善悪や美醜に固執する人は、まずそれが手に入らないという理由で右往左往する。これはいわば宝探しのようなもので、どこかにあるはずの純然たる「よさ」や「美しさ」を追い求めてしまうのだ。ところが、それは簡単に手に入らないので、さまざまな疑念や不安によって心が疲れる。たとえば、思いがけない不幸に襲われたときには、その原因を悪それ自体に求めてしまい、この悪に憑かれている限り、〈私〉は幸せになれない、と考えたりする。何かにつけて、とにかく心が乱れるのである。

かりに「よさ」や「美しさ」を見つけたとしよう。しかし今度は、ようやく手にしたその理想を失わないことに心を奪われ、相変わらず心はかき乱されることになる。絶対的なものを見つけたら、今度はそれを批判や疑念から死守しなければならないからだ。その基準が変わられては困るのである。ならば、「絶対的なもの」という観念それ自体が——それの獲得や断念とは無関係に——アタラクシアへの到達を阻む、と言えそうである。

身近な場面に引きつけて、考えてみよう。第一章で論じたように、善への意志は行くあてを探している。たとえば、これこそが善だと思えるものを求めて、サイバースペースにあるさまざまな情報を渉猟してみることは、善への意志を満足させるための一手段である。が、実際には、あまりにも多様な立場や見解を目にするだけで、大抵の場合、相対性の氾濫に溺れて終わる。善への意志は相対主義によって挫かれて、行き場を失うのだ。

では、善のパッケージに同化することで、〈私〉は善きものを獲得したと思い込んでいる人はどうだろうか。彼らは自分とは異なる立場の人びとが信じる「よさ」を否定するだろう。そうして、とにかく相手を論破し続けることで、善への意志を満足させようとするはずだ。自分が見出した絶対的な「よさ」を守ろうとするのである。しかし、それは決して一つに収束しない。だとすれば、これを、複数の独断的善が調停不能な信念対立にはまり込んでいる、と見ることも可能である。

認識論的には決して確証できないもの——すなわち、対象それ自体、誰にも批判されることのない善、絶対的な正しさ――を探すのは、そもそも実現不可能な課題である。その想定こそが心の動揺を呼び込むのだ。もちろん、真実へ向かおうとするロマンは否定しない。しかし、重要なのは、対象それ自体がどこかにある、と思うことが信念対立のトリガーになっている、ということである。

ともすれば、エポケーとアタラクシアは、この生で直面しなければならない選択からの逃避のように思われるかもしれない。決断主義を信奉する人にとっては、これは決定を先延ばしにしているだけの遅延行為のようにも見えるだろう。しかし、これまで説明してきたように、判断を保留することは、哲学的な根拠に基づいた積極的な態度決定だと言える。しかもそれは、真実を一つに限定せず、複数の真実らしきものが現われているという状況に耐えることでもあるのだ。

根拠のはっきりしない物事については判断を急がない。ごちゃごちゃしているなら、判断をいったん脇に置いておく。とりあえず、うっちゃっておく。この判断を差し控えるという判断こそが、次に冷静な判断をしていくための心の準備につながるのだ。判断することに慣れてしまった私たちにとって、エポケーの実行には勇気がいる。それでも、エポケーは、相対主義と独断主義の双方から身を引き剝がすための最初の一歩となるのである。

思考の確実な地盤を得るためにすべてを疑う——デカルトの方法的懐疑

デカルトは、セクストスの『ピュロン主義哲学の概要』のラテン語訳を読んで、それに強い影響を受けたと言われている。しかし結果的に、ピュロン主義とは別の道を選ぶことになる。その理由を一言でいえば、ピュロン主義はあくまでも懐疑主義の一派であり、相対主義を完全に乗り越えてはいないからである。ピュロン主義とは異なり、デカルトは「普遍主義」（人間であれば誰でも理解できることを洞察しようとする立場）を擁護するのだ。

ピュロン主義の限界を見極めよう。まず、ピュロン主義は判断保留をよしとしたが、そこから知識を積み上げていく方法については何も述べていない。いかなる客観認識も成立しないとしたら、数学や自然科学を含むあらゆる学問の根幹が揺らぐことになる。つまり、複数の現われから先に進めなくなると、学問の根拠をどう考えるのかという問題が残ってしまうのだ。

別の問題もある。周知のように、近代ヨーロッパはルネサンスと宗教改革を経験している。正しい信仰のありかたをめぐるカトリックとプロテスタントの信念対立は、何十年も続く泥沼の宗教戦争にまで発展した。それどころか、中世の神学的世界像が揺らぎ始め、それまで絶対的だと思われていた神の存在までもが——理性の光によって——証示されねばならないものとなったのである。いかに信念対立を克服して認識の根拠を確保するのか

――これは当時、喫緊の課題だったと言ってよい。ここでも、現われの相対性だけでは、複数の信念を共存させるための枠組みをつくれない、ということは明らかである。

こうして、認識問題は、ピュロン主義の場合のように、単に個人の心の平静の問題ではなくなってくる。近代哲学では、学問の統一的基礎づけ、善悪の普遍的根拠、正しい信仰の在り方にかかわる問題として、主客一致の認識問題が改めて自覚されることになるのだ。認識問題の解決なしには、学問も善悪も信仰も相対化されてしまう。ところでしかし、それの何がまずいのだろうか。

それは、相対主義は力の論理に対抗できない、ということである。すなわち、一切が相対化される世界においては、最終的な決定権を持つのは強者であり、資本力や軍事力の競争、闘争、戦争で勝ち残らなければ、社会に意見を反映させることができないのである。さまざまな立場を越えて妥当する基準がまったくないのだとしたら、複数の正しさがぶつかったときに、それを解決する手段が暴力以外にはないからだ。

そのような世界では、九九人が一＋一＝二だと主張しても、一人の強者がその答えを三だと言えば、その正解は三になってしまうかもしれない。一＋一＝三に従わない者たちは、殺してしまえばいい。あるいは逆に、九九人がカトリックを信仰していて、一人がプロテスタントを信仰している場合、その一人を数の論理で改宗させることも厭(いと)わない世界である。すべての認識が相対化されてしまうと、私たちはルール（言葉）で暴力に対抗できなくなる。これが認識論の根本にある「信念対立」なのだ。

では、それぞれの〈私〉に現われている現象の相対性から脱して、普遍認識の根拠を確保することはいかに可能か。デカルトの戦略は極めてシンプルかつ独創的である。すなわち、疑いうるものはすべて疑ってみて、疑うことのできないものが残っているのかを確かめればいい。つまり、懐疑の後で何が残るのかを見極めよう、というのだ。デカルトはこう書いている。

> すなわち、私がかつて真だと思ったもののうちで、それについて疑いの余地がないものは何もないこと。それも無思慮や軽率さから疑うのではなく、有効で考えぬかれた理由から疑うこと。それゆえ、何か確実なものを発見しようとするなら、それら疑わしいものに対しても、明らかに虚偽であるものに劣らず、以後は注意して同意をさし控えるべきであること。
>
> （ルネ・デカルト『省察』、四〇頁）

このパッセージには重要なことが三つ含まれている。それは、（一）疑いうるものを疑った結果、かつては真だと思えたものがすべて疑わしくなったこと、（二）懐疑は確実なものを発見するために行なわれること、(三) 虚偽であるものだけではなく、疑わしいものについても判断を差し控えること、である。最後の点に、ピュロン主義のエポケーの影響を読み取ることができるだろう。

ところで、そもそもすべてを疑うことなど、本当に実行可能なのだろうか。むしろ、世界は疑えないことで満ちている気さえする。たとえば、いまキーボードをタイピングしている私の右手を疑うことに何か意味はあるのだろうか。いずれにせよ、デカルトのいう懐疑が不自然な試みに見えるのは間違いない。デカルトの議論と完全に重なるわけではないが、その言い分を私なりにまとめてみよう。

(a) 幻覚や錯覚がある以上、感覚から与えられる直接知覚の世界とそれにかんする知識は疑わしい。(感覚の可謬性)

(b) 直接知覚の世界だけではなく、現実世界の全体は夢の世界と厳密に区別することはできない。(夢の議論)

(c) 現実世界とは独立して妥当する理念的世界(数学や論理)は、〈私〉の思考をそのつど捻じ曲げている悪霊が存在しているという可能性を排除できない以上、疑わしい。(悪霊の想定)

（d）すべては原理的に疑うことができる。（普遍的懐疑）

こうして、デカルトは、直接知覚の世界（とそれに依拠する学問）、現実世界、理念的世界（と理念的学問）のすべてを疑うのである。リンゴ、かなしみ、正義、自分の右手、他者の顔、ピタゴラスの定理……。知覚できる対象だけではなく、知覚できない対象や理念的な対象を含めて、すべての対象は原理的に疑える、というのだ。したがって、それは普遍的懐疑とでも呼ぶべきものなのである。

まず、感覚は信用ならない。感覚にはつねに可謬性が残るからだ。それゆえ、直接知覚された世界とその知識は間違いうる。しかし、それだけではない。現実世界と夢の世界を厳密に区別することはできるだろうか。もしできないなら、直接知覚している周囲世界とその向こう側に広がっている世界の全体が、じつは夢の世界であるという可能性が残り続ける。

もちろん、これが夢の世界だったとしても、幾何学の秩序（夢に現われる円や三角形の数学的規定性）や現実世界を構成する基礎的な事実（物には形や大きさがある）は認められるだろう。ところがしかし、ここに狡猾な欺き手がいて、それが理性の思考作用そのものを捻じ曲げているという可能性もある。要は、悪霊がいたずらをして、理性を惑わしているわけである。この悪霊の存在を論理的に否定しきれなければ、現実世界から独立してある数論や幾何学ですら疑えるにちがいない。このようにして、直接知覚の世界、現実世界、理念的世界は疑える、ということになる。

ここからデカルトは、懐疑を一段と深めていく。ところが、この最後の一歩がブレイクスルーになるのだ。〈私〉が疑っていることそのものを疑い始めるのである。普遍的懐疑を通してあらゆる対象は疑える、ということは動かしがたい。では、対象を疑っていることそれ自体はどうだろうか。言い換えれば、懐疑の作用をさらなる懐疑に付すことはできるか。そんなことは不可能である、と、デカルトは気づく。〈私〉が何かを疑っていることを、それ以上疑うことはできないからである。

つまり、こうだ。〈私〉の外側に存在するものは、すべて原理的に疑いうる。だが、徹底的かつ普遍的な懐疑の最中でさえなお、疑えないものがある。それは、〈私〉がさまざまな事物やことがらを疑っているということそれ自体である。疑っている作用はどうやっても疑えない。デカルトは、〈私〉の外側から〈私〉の内側に懐疑の視線を移し、そこで〈私〉の意識の不可疑性を発見するのである。

すなわち、このようにすべてを偽と考えようとする間も、そう考えているこのわたしは必然的に何ものかでなければならない、と。そして「わたしは考える、ゆえにわたしは存在する〔ワレ惟ウ、故ニワレ在リ〕」というこの真理は、懐疑論者たちのどんな途方もない想定といえども揺るがしえないほど堅固で確実なのを認め、この真理を、求めていた哲学の第一原理として、ためらうことなく受け入れられる、と判断した。

（ルネ・デカルト『方法序説』、四六頁）

これが、かの有名な命題「我思う、ゆえに我在り」である。どれだけ疑おうとしても、〈私〉がいま疑っている（もしくは、考えている）という作用を疑うことはできない。そして、（少なくとも）疑っている間は、そのように疑っている〈私〉も存在している。この一連のプロセスは「方法的懐疑」と呼ばれている。

方法的懐疑：確実なことがらを発見するために、あらゆるものを疑ってみること。

さて、ここで興味深いのは、デカルトが見出した〈私〉の意識の「絶対性」が、神の「完全性」と隣り合わせになっている、という点である。〈私〉が何かを考えたり感じたりしているという原的な事実は、〈私〉にとってそれ以上疑うことのできない絶対的なものとしてある。にもかかわらず、その絶対性は〈私〉の認識の完全性を意味しているわけではない。というのも、神の完全性には遠く及ばないからである。

だとすれば、こうなるだろう。方法的懐疑の末に見出された〈私〉の絶対性は〈私〉の有限性と一体である。そして、このことが意味するのは、それぞれの〈私〉が自分なりの絶対性と有限性を引き受けざるをえない、ということなのだ。〈私〉という存在は、他の誰でもないこの〈私〉の意識を生きている。〈私〉はどこまでいっても〈私〉でしかありえず、〈私〉の意識への所与から出発するほかない。これが〈私〉の絶対性だ。しかし同時に、〈私〉がこの〈私〉であることは、その意識が及ぶ範囲に限界があることを意味している。だから、〈私〉の認識は有限なのである。

ところで、これは、〈私〉と同じ条件を他の〈私〉（他者）も背負っている、ということである。したがって、デカルトの〈私〉から導かれるのは、それぞれの〈私〉が、一人の〈私〉として、絶対かつ有限の世界認識を持っている、という洞察なのだ。そこには、他者の世界認識や世界体験へのいわば「認識論的尊重」がある、と言えるだろう。
〈私〉の世界体験は、現にそのように体験されているという意味で、それをなかったことにはできない。こうして懸命に原稿を書いているときに、隣では猫が寝ている。私はその遠慮のない寝顔を見て、微笑ましい気持ちになる。ここで、猫の寝顔が見えていることやそれを見て微笑ましい気持ちになっていることは、私にとっては動かしがたい所与であり、だからこそ、そこにある種の絶対性が出てくる。

しかしこのことは、徹頭徹尾、私の意識体験の内側の出来事である。他の人が見たら、猫は寝たふりをしているように見えるかもしれないし、自分が忙しいときに寝ているなんて、と、忌々しい気持ちになる人もいるかもしれない（もちろん、そんな人に猫を飼う資格はない）。だから、それぞれの〈私〉の絶対性は有限性と隣り合わせなのである。その限界を突破することは誰にもできない。でも、それゆえにこそ、すべての〈私〉は同じ条件を生きざるをえない、ということに帰結する。

ところで、私たちとしては、この有限性を神の完全性や無限性と比較する必要はないだろう。人間と神の比較は、神を信じていなければ意味をなさない。重要なのは、デカルトの図式から神を取り除いたとしても、〈私〉の絶対性と有限性は崩れない、ということだ。〈私〉に絶対的な仕方で与えられている知覚、感情、思考、等々は、必ず特定の関心や状況の下にあり、〈私〉の認識に備わるこの一面性は乗り越えられない。ピュロン主義はまさにこの点を指摘したのだった。

〈私〉が〈私〉の内面性に深く沈潜し、そこで〈私〉自身の絶対性と有限性に出会う。そのとき、〈私〉は、他の〈私〉が同一の条件を背負っていることを深く了解する。少なくともこの点では——認識の妥当性に優劣はつけられるにせよ——すべての〈私〉は認識論的に対等なのである。これは、認識論的な入り口から倫理学へ抜ける道程である、と言ってもよいだろう。このリスペクトが相互的かつ相補的なものになれば、それは、互いの存在や自由を承認していくための基礎条件になるはずだ。ともあれ、このことの具体的内実については、後でフッサール現象学を扱う際に、改めて考えてみよう。

批判的思考のプロトタイプ

デカルトの思考法は、生まれてから自然に身につけてきた信念や習慣を一度括弧に入れて、その妥当性を検証しながら進んでいくためのものだ。一般に、私たちはよさや正しさについて何らかの基準を持っているが——それは初め親から教えられ、学校の先生や友人、他のさまざまな人との社会的関係の中で育まれる——すべての人間が同一の基準を持っているわけではない。また、どこかに絶対の正解があるわけでもないだろう。

とりわけ、人間と社会の領域における意味や価値の問いは、私たちの関係性に向かって尋ねるほかない。たとえば、よい社会とは何なのかということは、それぞれの〈私〉が互いの利害関係や信念対立を調整しようとする、いわばその関係的な努力によって、初めて見えてくるようなものなのである。

私たちが自然に育む信念や習慣は、本質的に、多様なものとならざるをえない。それは自由な思考が認められている証でもあるだろう。しかし、だからこそ、特定の信念を絶対化すれば、他の信念が抑圧され、深刻な信念対立に帰着することになる。場合によっては——近代ヨーロッパが経験した宗教戦争のように——正しさをめぐる殺し合いになる。そこで、デカルトが提示したのは、それぞれの〈私〉が自己の信念を批判的に検証しながら、力のゲームの発露を抑止するための態度と方法なのである。

デカルトは過去につくりあげてきた信念や習慣を捨て去ることができない人の例として、二つのタイプを挙げている（ルネ・デカルト『方法序説』、二五頁）。

(1) 自分を実際以上に有能だと信じて性急に自分の判断を下し、自分の思考を導いていくための忍耐力を持たない人たち。

(2) 真と偽とを区別する能力が他の人より劣っていると思っていて、他者の意見に従うことで満足してしまう人たち。

これら二つのタイプに欠けているのは、〈私〉のフェアネスの感覚である。他の人に比べて自分を有能だと思う全能感も、逆に無能だと思う無力感も、〈私〉と他者の公正な関係にひびを入れてしまう。自分のことを健全に信頼するときに初めて、他者のことを同じように信頼する可能性が開かれるのである。先に見たように、この世界では複数の〈私〉が、少なくとも認識論的には例外なく、それぞれの絶対性と有限性を引き受けている。この点に、人間存在の根源的なフェアネスがある、と言えるのだ。

繰り返そう。デカルトの思考は独我論的に閉じられたものではないし、〈私〉を無批判に正当化するものではない。むしろ、それは自己の信念のありようを多角的な視点から批判的に吟味するための原理なのである。というのも、デカルトが説くのは、世界認識の最低層にある基礎的な信念や習慣についてすら判断を保留して、それらの根拠をもう一度検証し直そうとする批判的思考の重要性だからだ。そのために、疑えるものはすべて疑おう、と言っているのである。

しかし、注意したいのは、この懐疑はあくまでも方法的なものであって、絶えざる自己批判を目的とするものではない、ということである。懐疑の果てに直面する〈私〉の思考を信頼すること、そして、他の〈私〉の思考を尊重すること――この基本的なスタンスを保てないなら、責任ある思想や哲学を打ち出すことはできない。デカルトはそう言っているのだ。

ところで、デカルトの哲学は実践的な動機を持つ。言い換えれば、それは学問の基礎づけだけを狙ったものではない。デカルトは、こう書いているからだ。すなわち、「だがわたしは、自分の行為をはっきりと見、確信をもってこの人生を歩むために、真と偽を区別することを学びたいという、何よりも強い願望をたえず抱いていた」（同書、一八頁）。

真と偽を見分けることができなければ、〈私〉の行為の正しさを評価することはできない。すると、人生で為すべきことが分からなくなる。〈私〉を信頼することも難しくなるにちがいない。デカルトは方法的懐疑によって徹底した「自己批判」を行なうが、それを通して見出される〈私〉の意識は「自己信頼」とともにあるのだ。〈私〉の批判に身をやつしてはいけないし、過剰なナルシシズムに陥ってもいけない。自己批判と自己信頼——これらが新デカルト主義のキーワードなのである。

つまり、こうだ。〈私〉を信頼するために、〈私〉を徹底的に批判してみる。〈私〉は何者で、何を欲しているのか。〈私〉にとって何が必要なのか、何が不必要なのか。〈私〉はどう生きるべきか……。〈私〉の外側から〈私〉の内側に視線を移すことで、〈私〉の意識体験で何が生じているのかを見てみるのだ。しかし、この視線変更は、〈私〉が世界をいかに感受しているかをも示すだろう。たとえば、リンゴが美味しそうな食べ物として現われるのは、〈私〉の空腹がリンゴを欲しているからである。外的世界にばかり気を取られるのではなく、〈私〉の内面性を見つめる作業を通して、自己批判と自己信頼の健全なバランス感覚を取り戻さなければならない。

すべては〈私〉の意識の確信である——フッサールの現象学的還元

さて、ここまでピュロン主義とデカルト哲学の概要を見てきたが、これらを総括するのがフッサール現象学である。現象学は、〈私〉から出発して「普遍性」（誰でも同じように確かめて納得できること）をつくろうとする哲学である。言い換えれば、それは、「〈私〉にはこう見える」を大事にしながら、「〈私〉たちにはこう見える」を目指すのだ。それゆえ、ここからは〈私〉と他者のつながりをどう取り戻していくのか、ということが主題となる。

現象学の原理は「現象学的還元」と呼ばれる。とりあえず、定義を先に書いておこう。

現象学的還元：一切の対象を〈私〉の意識体験における確信とみなすこと。

これまでの議論の成果を思い出しながら、現象学的還元の核心を押さえよう。まず、主客一致の認識問題を原理的に解明するためには——デカルトが「方法的懐疑」で示したように——私たちが生活の中で自然に身につけている物の見方を変更しなければならない。すなわち、対象インスピレーションを与えるのは、ピュロン主義の「エポケー」である。

にはさまざまな現われ方があるので、対象それ自体が何であるかについては、判断を保留しなければならない、というものである。デカルトもまた、この方向で懐疑を展開した、と言ってよい。

しかし、フッサールはエポケーの範囲をさらに一般化して広げて、特定の対象だけではなく、世界確信とそれを定立する自然的態度（〈私〉が自然な形で持っている客観的世界への親和的態度）の全体を問題にする。つまり、世界が存在していると当たり前に信じている態度そのものを変更しよう、ということである。ピュロン主義やデカルトになくて、フッサールにあるのが、この根本的な態度変更の要請なのだ。

人間であれば誰しも、〈私〉の外側に世界が客観的に存在していて、そこで〈私〉は生きている、という自然な確信を持っている。これはあまりに当然のことなので、改めて言われると、かえって理解するのが難しいかもしれない。客観的世界が存在していて、その中に〈私〉、事物、動物、他者などが含まれている。こうした世界確信は、よほどの特殊な事情がない限り、私たちが広く共有する自明の信念だと言える。

ところが、このような見方が自然であるからこそ、私たちはそこから抜けだすという発想をほとんど持たない。そして、このことが認識論のアポリアに深くかかわっているのだ。フッサールは、世界が客観的もしくは実在的に存在しているという根源的な確信生成（＝

「世界の一般定立」）を遮断すれば、そこにまったく異なる世界への態度が現われる、と主張する。そうして、認識問題は原理的に解明される、というのである。

結論から言おう。それはすべてを〈私〉の確信とみなす態度である。いかに客観的世界を主観が認識しうるかではなく、客観的世界を括弧に入れておいて、それがどのような条件と構造で意識体験（内在）において確信されているのかを問うのである。それゆえ、「現象学的エポケー」は、世界への向き合い方を抜本的に変更するための方法となるのだ。

すると、どうなるか。客観認識の可能性の有無ではなくて、どういう条件を持つ対象が客観的なものとして確信されるのか、ということだけが問題になるだろう。だから、フッサールは、ピュロン主義のエポケーを世界全体に――別の観点で言えば、客観妥当を行なう意識作用そのものに――適用するのである。フッサールは、次のように書いている。

> いかなる定立に関しても、われわれは、しかも全き自由をもって、このような独自のエポケーを行なうことができるのである。そのエポケーとは、一種の判断中止なのであるが、この判断中止は、真理についての揺るぎない、場合によっては揺るぎえない確信、というのはそれが明証的な確信だからなのだが、そうした確信とも調和するようなものなのである。
>
> （エトムント・フッサール『イデーンI－I』、一三八頁）

いかなる定立（何かが存在すると信じること）であっても、その気になれば、私たちは自由にその判断を保留することができる。リンゴ、日本、正義、虹、ペガサス、そして、すべての対象を含む世界とその地平全体……。これらの対象の本性は無条件的に何なのか、さらに、これらは客観的もしくは実在的に存在しているのか。私たちはこれらを問わないでおくことができる。いやむしろ、問わないでおくことが肝要だ、とフッサールは考えるのだ。これは奇妙な提案に思えるかもしれない。しかし注意すべきは、エポケーは認識問題を解決するために導入されている、という点である。つまり、方法的概念なのだ。

ところで、世界とそこに含まれる全対象が〈私〉の認識から独立して存在する、という世界確信をいったん脇に置いておくことに、どんな意味があるのだろうか。すでに繰り返し論じてきたが、認識論を考える際に外せないキーワードは「信念対立」である。重要なところなので、エポケーと信念対立の関係を、改めてはっきりさせておこう。

まず、深刻な信念対立というものは、それぞれの信念を自明視するところから生じる。この理論が絶対に正しい、これだけが唯一絶対の見方である、〈私〉の言っていることに同意しないのはおかしい……。こういう主張は、世界の真の姿があって、〈私〉だけがそれを把握している、という前提から出来する。ここで複数の絶対信念が存立すると、それらが互いに対立するようになるのである。しかし、そもそも絶対的な正解を置かなければ、何が正解かをめぐる信念対立は不毛となる。したがって、エポケーは独断主義の抗争を抑止する、と言えるのだ。

反対に、すべては人それぞれである、という相対主義も、客観存在を想定していることがある。典型的なのは、客観とそこに届かない主観というイメージである。リンゴそれ自体は存在しているが、〈私〉はそれを認識できない、という前提に立ち、認識の相対性を主張するわけである。端的に言えば、物自体と〈私〉の認識能力の限界が相対主義に帰着するのだ。

しかし、すべてが相対的だとすれば、これは力による抗争を避けることが難しくなる。相対主義もまた信念対立を回避することはできない。というのも、信念の相対性が認められているからこそ、暴力を肯定する信念にも一つの権利が与えられてしまうからである。ここで物自体についての判断を保留すれば、この図式そのものが無効になることが分かるだろう。つまり、エポケーは独断主義と相対主義の両方を牽制することで、信念対立の芽をあらかじめ摘み取ろうとしているのである。

では、結局、真理は存在するのか。そして、真理を認識することは可能なのか。ふつう、そう問いたくなるはずだ。一見すると、フッサールの立場は曖昧である。先のパッセージで言われているように、真理を強く信じていたとしても、その判断は保留されているのだから。だが、このどっちつかずの態度こそが、フッサール現象学の創見にほかならない。
説明しよう。真理は存在するのか。このように問いを立てるなら、答えはＹｅｓかＮｏの二択になってしまう。ここで前者を選べば、その判断は独断的に響くし、反対に後者を選べば、相対的に響く。だから、この問いの立て方そのものがナンセンスである、と、フッサールは考えるのだ。信念対立を解消するために重要なのは、その対立に決着をつける真理の有無ではなく、それぞれの〈私〉が確信している真理の内実、そして、その確信を構成している条件の共通性だからである。

こうして、先の問いは変更されることになる。すなわち、真理は存在するのか、という素朴な問いは、〈私〉はどういう条件と構造で真理を確信しているのか、という現象学の問いへと変更されるのである。現象学において真理は括弧に入れられるが、しかし無化されて消えてしまうわけではなく、それは〈私〉の「確信」として捉え返される、ということだ。一言でいえば、現象学は、意識体験における真理の構成を問題にするわけである。その際、真理が本当に存在するかどうかは、問う必要がない。〈私〉と他者の意識体験に同型性があるか、ということだけを焦点とするからだ。

つまり、こうだ。まず、対象（世界）が客観的に存在しているという素朴な定立を中止して、あらゆる対象を〈私〉の確信とみなす。つぎに、その対象確信を成立させている条件と構造を意識体験において分析する。最後に、その条件と構造に共通性があるかないかを他者との言語ゲームで確かめてみる。これが現象学的思考のプロセスである。

ここで、あらゆる対象を〈私〉の意識との相関性において捉えようとすることを、言い換えれば、すべての対象を意識対象とみなす操作を、「現象学的還元」と呼ぶ。それは、一切の対象を〈私〉の意識体験における確信とみなすことを意味する。そうすると、世界の意味を解明する現場は、〈私〉の意識体験である、ということになるだろう。現象学は、〈私〉の意識体験において確信成立の条件と構造を取り出すのだ。

具体的に考えてみよう。たとえば、机の上にリンゴがあるとする。日常生活においては、リンゴ（客観）が机の上に存在しているので、〈私〉（主観）にはリンゴが見えている、という順番で考えるはずだ。この主観と客観を前提する認識図式は、自然的態度による世界の一般定立によって支えられている、ということが分かるだろうか。つまり、対象（世界）があって、それを私が見ているという、ごく自然な物の見方になっているのである。

現象学的還元はこれを逆向きに捉えるのだ。すなわち、赤くて丸くてつやつやしたリンゴの像が〈私〉の意識体験に与えられているので、〈私〉はそこにリンゴが存在するという確信を持つ、という順番で考えてみるのである。リンゴに向かっていた視線を〈私〉の意識体験の内側に移し、どうしてリンゴが存在していると思っているのかを分析するのだ。先の自然な物の見方を逆転させるのである。
すでに論じたように、主客一致の認識問題において、客観それ自体を〈私〉が見ている、ということは証明されえない。どのような認識も〈私〉の認識でしかないからである。〈私〉が〈私〉の認識の外に出て、いかなる観点からも自由に、客観それ自体を参照することは不可能なのだ。だとすれば、主客一致の認識問題は問いの立て方がうまくない、ということになるだろう。簡潔にまとめると、それは答えようのない問いの形になっているのである。

認識の原理的可能性を明らかにするためには、まったく別の発想が必要になる。認識問題の本質は、主観は客観に一致するのか、という問いではなく、〈私〉の意識体験（＝「内在」）において、客観（＝「超越」）がいかに構成されるのか、という問いにあるのだ。つまり、対象が客観的に存在していると思う、その理由を明らかにしなければならないのである。

したがって、ここにあるのは、超越は内在でいかに構成されているのか、という「超越構成の認識問題」である。「主客一致の認識問題」の構図が、完全にひっくり返っているのである。というのも、意識体験の内側にとどまって、ある対象をそのような対象として確信する条件を考察するのだから。この場合、客観としての対象は前提されていない。

理屈だけで終わらせないために、事物認識の客観性の本質を取り出してみよう。すなわち、事物が客観的に存在していると確信する、その条件を記述するのである。まず、「知覚」は対象の客観性を構成する重要な条件だ。何らかの仕方で見えているものは、〈私〉の外側にその対象が――〈私〉の認識からは独立して――存在することを告げ知らせるからである。

また、事物が他の事物との「因果連関」にあることも、その事物の客観性を証示する。ある事物が他の事物に因果的な影響を及ぼすことができるから、二つの事物は同一の現実世界で客観的に存在している、という確信を〈私〉にもたらす。もし目の前のリンゴが机をすり抜けてしまったら、これは何かの映像かホログラムだと思うはずである。

さらに、他者との「共有可能性」も重要な本質条件である。かりに〈私〉に見えていても、他者がそれを見えないと言うなら、その知覚は幻覚かもしれないからである。こうして、事物認識については、知覚、因果連関、共有可能性が、その客観性を支える本質条件だと言えることになる。もちろん、さらに別の契機を取り出すことも可能だ。現象学は他の〈私〉による検証と確証に開かれているからである。

おそらく、これは実際にやってみた方が腑に落ちる。もし時間があるなら、いま考えてみてほしい。考察の対象は石やパソコンなどの事物である。どうして、石は客観的に存在している、と思えるのだろうか。知覚、因果連関、共有可能性はその大きな理由になっていないだろうか。このことをそれぞれの意識体験で確かめてみるのだ。もしかしたら、まったく別の条件に思い至るかもしれないが、現象学的思考のエッセンスはつかめただろう。

このようにして、現象学は、確信成立の条件を、意識体験において分析していく。右で考えたのは事物認識の客観性の本質だが、この方法原理は他の対象や領域に汎用可能である。数学の本質や教育の本質では、まったく別の条件が出てくるだろう。なつかしさや怒りの本質を考察することもできるし、自由や幸福の本質に迫ることだってできる。このことを実際に示してみせるために、次章の前半では、幸福の本質を論じるつもりである。

まとめよう。対象確信が成立する条件と構造を意識体験に向かって問う。そうして、さまざまな対象確信の本質を原理的に解明する。どこまでも〈私〉の意識体験にとどまろうとするこの発想の中には、ピュロン主義とデカルトのモチーフが含まれている。だから、現象学はデカルト主義の発展的継承だと言えるのだ。現象学において、世界の意味は、徹頭徹尾、〈私〉の確信として捉えられるのである。

〈私〉から出発して普遍性をつくる——主客一致の認識問題の現象学的解明

主観は客観に一致するのか、と問うのは伝統的認識論であり、この主客図式は世界の存在を素朴に信じる私たちの日常的な態度を反映している。それに対して現象学では、あらゆる存在は意識体験で構成された「確信」とみなされる。この線で行けば、対象の客観性とは存在確信の一つの様相である、ということになるだろう。

しかし、だとすると、どのような対象も主観的な確信にすぎない、ということにならないか。一切を〈私〉の意識体験における確信とみなすことは、主観的相対主義に帰着するようにも見える。エポケーと還元の先に主観的確信しかないのなら、〈私〉を取り戻すことの代償として、今度は他者と世界を失うことになる。現象学は主観的相対性を越えていくための理路をいかに確保するのだろうか。フッサールは、次のように論じている。

> おそらく、超越論的な我への還元は、一見すると独我論的にとどまる学問という印象を伴っているかも知れないが、それがその固有の意味にしたがって一貫して遂行されると、それは超越論的な間主観性の現象学へと導かれ、これを介してさらに、超越論哲学一般へと展開されることになろう。
>
> （エトムント・フッサール『デカルト的省察』、六四－六五頁）

私なりに翻案してみよう。すべてを〈私〉の意識の確信とみなす方法（＝還元）は、〈私〉だけが存在していて、〈私〉は〈私〉の世界に閉じ込められている（＝独我論）という印象を与えるかもしれない。しかし、この還元という方法をきちんと最後まで展開するなら、複数の〈私〉の現象学へと導かれて、これによって客観的世界の意味を決定的な仕方で解明することが可能になる。

　ここで間主観性の現象学とは、他我確信の条件と構造（ある対象を見て、それが人だと思う条件とは何か）や複数の〈私〉の意識体験の共通性を考察する現象学である。つまり、現象学は、〈私〉にとっての確信成立の条件の解明だけではなく、〈私たち〉にとっての確信成立の条件の解明を目指すのだ。言い換えれば、世界認識の正しさをめぐる信念対立を調停しつつ、〈私たち〉の共通了解を創出するために、方法的かつ自覚的に、一切を〈私〉の意識体験に還元するのが、現象学である。それは、〈私〉から出発して普遍性をつくるための方法なのである。

　繰り返し述べてきたように、対象それ自体もしくは物自体というアイディアは、その本性が何であるかについての信念対立を誘発する。一方では、〈私〉こそが絶対に正しいという独断主義が出てくるが、他方では、いかなる〈私〉もそこに届かないという相対主義が出てくる。二つの陣営は、主観と客観という図式が産み落とした双生児なのである。

　対象それ自体についての判断を保留し――自然的態度のなす一般定立を遮断し――一切を〈私〉の意識体験に還元することを通じて、〈私〉は意識体験という極めて相対的な場面に連れ戻されることになる。そこでは、それぞれの対象は〈私〉にとって現われているにすぎない。しかし、現象学は、そこから〈私〉と他者の意識体験の同型性を探ることで、対象認識の相対性を突破し、間主観的な普遍性を創出する場面に出ようとするのである。

哲学者の竹田青嗣は、現象学における確信を「主観的確信」、「共同的確信」、「普遍的確信」の三つに分けることを提案している（竹田青嗣『欲望論』第一巻、二〇六－二〇七頁）。この区分けは極めて妥当である。

まず、主観的確信は個人の主観の内部だけで構成される存在確信。個的体験、記憶、内的信念、啓示などである。つぎに、共同的確信は複数の人びとに共有される存在確信。ここには、二人だけの内的記憶、認識、信念、また民族宗教や世界宗教の世界像が含まれる。最後に、普遍的確信は誰もが普遍的に共有する存在確信。世界が存在すること、数学や自然科学の共通認識などである。ここに自由や人権の普遍性を含めてもよいかもしれない。

現象学では、すべての対象は意識体験で構成される確信とみなされるが、それぞれの対象確信を支える具体的条件が他者に共有される度合いに応じて、〈私〉の確信は、主観的確信、共同的確信、普遍的確信に分類される。〈私〉の確信を成立させるのは、そのつどの個別条件だけではなく、〈私〉と他者にさまざまなレベルで共有されている本質条件なのである。たとえば、先に論じた事物の客観性を構成する条件、すなわち、知覚、因果連関、共有可能性という条件は、およそすべての〈私〉が同一のものとして分け持つはずである。だとすれば、普遍性には条件がある、ということになりそうだ。〈私〉の確信から出発して、複数の〈私〉に共有される条件を探究する。〈私〉の意識体験で洞察された本質が、それぞれの〈私〉の意識体験で確かめて納得できるものになっていれば、そこに普遍性がつくられる。この互いの確信の内実を確かめ合うという発想こそ、現象学的思考の最終形態にほかならない。複数の〈私〉の本質洞察が交わるところに、間主観的普遍性は成立する。

ここまで来てようやく、デカルトの発見した「意識」の意義が際立ってくる。まず、対象が何らかの仕方で現に意識に与えられていること、このことの絶対性は動かせない。リンゴが見えているときに、〈私〉にリンゴは見えていない、と言うのはナンセンスだからだ。ところが、その見え方は、どんな場合にも、限定的なものである。〈私〉は絶対性と有限性の背後に回ることはできない。

ここで、他の〈私〉が同じようにリンゴを見ているのかは、原理的に言って、確かめてみなければ分からないだろう。それゆえ、コミュニケーションや言語ゲームが生じてくるわけだが、注意すべきは、かりに同じように見えていたとしても、他者が見ている対象のありようは、現象学ではあくまで〈私〉の意識体験の確信として捉えられる、ということである。つまり、〈私〉は、他者が〈私〉と同じ確信を持っているということを、確信するのである。だから、すべては〈私〉の主観的な意識体験に還元される。普遍的確信といえども、究極的には、〈私〉の意識体験における存在確信以上のものではない。

にもかかわらず、それぞれの意識体験を持ち合うことで、普遍性（共通了解）をつくりだす道は残されている。そこでは、誰が正しい世界認識を持っているかではなく、いかに上手に間主観的な合意をつくりだせるか、ということだけが、焦眉の問題になるだろう。現象学者の西研は、「反省的エヴィデンス」という概念で、この事情を説明している。

> 1．本質観取ないし本質記述とは、自分自身の体験を生き生きと想起し、そこから得られる「反省的エヴィデンス」にもとづいて、「どんな人の体験にも共通するだろう一般的な構図」（自我一般の構図）を取り出して記述することである。
>
> 2．その記述は、こんどは読み手の側の「反省的エヴィデンス」によってその妥当性を吟味され、確証されたり訂正されたりする。（西研『哲学は対話する』、二九二頁）

〈私〉の意識体験を反省的によく見て、そこで動かしがたいと思われる本質条件と本質構造を記述する。しかし、それだけでは不十分で、〈私〉によって記述されたテクストは、今度は、他者の意識体験においてその妥当性が確かめられなければならない。逆に言えば、他者の体験は、〈私〉の反省的エヴィデンスによって確証されうる場合、〈私〉の自由変更の事例として用いることができるのである。この検証と確証の相互プロセスの中で、間主観的普遍性は漸次的につくられていくのである。すなわち、〈私〉の本質洞察と他者の本質洞察が交わることで、そこに〈私〉と他者の意識体験の同型性が浮かびあがってくる、ということだ。ただし、もちろん、その究極のエヴィデンスはそれぞれの〈私〉の体験に存する。

さて、〈私〉から出発して普遍性をつくっていく過程は、〈私〉の多様性と〈私たち〉の普遍性の両方を際立たせる道程となるはずだ。というのも、現象学は、多様な感受性や価値観の差異を相互に認め合いながら、誰もが確かめて納得できる条件と構造を探究することになるからである。それは、文化、言語、社会、宗教、民族、ジェンダー、年齢、病気や障がいなどの違いを前提として織り込んだうえで、すべての人間に共通することを探す方法だ。〈私〉の意識という極めて相対的な場所にとどまりながら、すべての〈私〉の意識体験の普遍性を洞察するという、このアクロバティックな方法が、相対主義にも独断主義にもはまらない現象学の思考法だと言えるのである。

ところで、普遍認識を可能にする条件の同一性とは、一体何を意味するのだろうか。端的に言えば、それは物理的身体構造および欲望＝関心の同一性である。人間の身体や欲望の構造に同じ部分があるからこそ、意識体験の構造に本質的な同型性が出てくる、ということだ。とはいえ、これは、すべての意識体験が必ず一致する、ということではない。一致する部分と一致しない部分があり、しかもそれは、確かめてみるまで分からない、ということなのである。

たとえば、事物は必ず一面的にしか知覚されないが（＝「射映」）、これは人間の身体構造に基づいている。たとえば、人間の身体が球体で、その内側に無数の眼がついているなら、対象を体内に取り込めば、知覚の一面性を超越して、対象を全面的に見ることが可能になるかもしれない。それでも対象を完全に認識できるかは微妙なところだが、しかし少なくとも、身体構造の同一性が事物認識の構造の同一性を支えている、ということが分かる。すなわち、人間の二つの眼が顔に前向きについているから、対象を一面的にしか見ることができないのだ。

別の例を取り上げてみよう。死にたくないという欲望や、殺される不安から逃れて生活したいという関心があるからこそ、人間はルール社会をつくりだしている。もしいつ死んでもよくて、隣人から襲撃されても何とも思わないのであれば、社会にルールは不要で、とにかく抗争と闘争を続ければよい。しかし、そうではないからこそ、すべての社会は善悪の秩序を持っている。人間と社会の領域における普遍性創出の可能性は、人間の身体、欲望、関心に共通性や同型性を見つけられるかどうかにかかっているのだ。

こうして、現象学の言語ゲームは、さまざまな欲望や関心の所在を表明する公共的な営みとして成立することになるだろう。正しさの絶対的公準は存在しない。しかし、だからこそ、互いの差異を認めることに必然性が出てくる。自分の考えを説明して、相手の考えに耳を傾ける。人それぞれの違いを認めつつ、しかし、それを越えようとする志向を養う。そのときに初めて、〈私〉が他の〈私〉を尊重する態度と、間主観的な普遍認識の可能性が見えてくるのである。

つまり、こう言ってみることができる。現象学は最終的に、絶対性と有限性という同じ条件に立たされた複数の〈私〉が、どういう条件があれば共に生きていけるのかを考察するステージに入るのである。そして、このつながりは、単に気が合うからとか、同じグループに属しているからとかではなく、すべての〈私〉が〈私〉を逃れることができず、うまくやっていくためには、結局のところ、〈私〉と〈私〉の関係性を調整していくしかないのだということが、きちんと心に落ちるからこそ生じるものなのだ。

〈私〉は、デフォルトとして、いつもここにいる。すべての体験が、総じて〈私〉の体験であり、そこに〈私〉の欲望や関心が反映されている。新デカルト主義は、喧噪的な外部世界から〈私〉を方法的に脱接続するだろう。しかし、それで終わりではなく、デカルト的な〈私〉は、〈私〉のフェアネスに基づき、新しいつながりに自らを再接続していけるのである。このことについては、〈私〉の存在論の観点から第四章で改めて考えてみたい。

〈私〉を取り戻すための哲学的思考

さて、私たちが新デカルト主義から学んだことを、簡潔にまとめておこう。

(1) すべてを徹底的に疑う

軟派な疑いを斥けるためには、疑いを徹底することが有効である。私たちはどこまで疑えるのだろうか。おそらく、何から何まですべてを疑うことはできないだろう。デカルトが示したように、少なくとも疑うことを疑っていては、何かを疑うことはできないからである。広く深く疑ってみることで、むしろ疑えないものの所在がはっきりする。ここで一番よくないのは、中途半端でぼんやりとした疑いの目で物事を見ることである。たとえば、政治家の言うことは信用できない。そう考えているとしよう。しかし、何となく怪しいと踏んでいるうちは、どこにも辿り着けない。色々なことが疑わしくなってきて、余計なキャッシュが頭に溜まっていくだけなのである。

政治家の言うことを疑うなら、どうして疑わしいのかを説明しなければならない。疑わしいのは個々の発言だろうか、特定の議員だろうか、国内外問わずすべての政治家だろうか。疑わしいと断言するのなら、それなりの理由が求められるだろう。初めからきちんと考えるためには、こういう地道な作業が欠かせない。

ここで考えることを面倒に思って批判ばかりしていると、自分が正しいと確信していることすら分からなくなる。いつの間にか、批判の原点となる〈私〉が不在になってしまうからだ。疑うなら徹底的に疑ってみる。そして、疑えないものを見極める。自然に身につけた信念や習慣を検証しながら考え進めていく。これが方法的懐疑からの教訓である。

（２）複雑な問題や微妙な物事に対しては判断を中止する

目の前にあるのが複雑な問題で、ちょっと考えただけでは分からない場合は、急いで判断しない。微妙な物事は括弧に入れておく。これは現実逃避ではなく、一つの立派な態度決定である。物事に白黒をつけなければならないという強迫観念を持つ人がいるが、人間と社会に関係する事象は、簡単に真偽が決まるようなものではない。つまり、焦って答えを出さなくてもいいのだ。

しばしば、このような判断保留は優柔不断だとされる。また、判断できないということに、〈私〉の能力不足を感じてしまう人もいるだろう。ところが、判断しないという判断は、曖昧なエヴィデンスに基づく強引な断定よりも、よほど優れている。エポケーは、どうにもならない状況に耐える力を生み出し、柔軟な関係性と建設的な対話の基礎になる。

(3)〈私〉の絶対性と有限性を自覚する

〈私〉は〈私〉でしかない。〈私〉の感情、思考、認識、欲望は、〈私〉にとって絶対的なものである。たとえば、何かを見て感動するとき、その感動を避けることはできない。また、好きでないものを好きになることはできない。〈私〉は意識体験という所与の絶対性を生きざるをえないのだ。

しかし、その絶対性は、〈私〉の見方が絶対に正しい、ということを意味しない。完全な認識はありえないからである。机の上のリンゴを見るときでさえ、そのすべてを一度に見ることはできない。人間の知覚はどこまでも限定的であり、その一面性は超えられない。さらに言えば、他者とのコミュニケーションを通して、〈私〉の直観の内実が編み変わる可能性もある。〈私〉の絶対性は硬直したものではなく、つねに生成の途上にあるのだ。

〈私〉の絶対性と有限性は、他の〈私〉も同じように共有する人間の基礎条件である。だからこそ、考えや立場が対立した場合にも、〈私〉の認識のフェアネスは保持されうる。この認識論的尊重さえあれば、うまく合意に達しない場合でも、言論の努力を持続させられる。逆にこれができなくなると、力が物を言う社会になるのだ。

第三章　ポスト・トゥルースを終わらせる

ＳＮＳを気にする学生

大学の授業の質問で増えてきているのが、「先生、ＳＮＳで○○という意見があったのですが、どう思いますか」という類のものである。たとえ発信元が誰なのか分からないとしても、その情報が流れてきて、目に入ってしまうと無視することができず、どうしても気になってしまうらしい。たとえば、こんな投稿である。

生まれてきてしまったら幸せになれない可能性が高いことが哲学では証明されているから、生まれてこない方がいいし、子どもをつくるのは悪いことだと思う。

この文言にどういう印象を持つだろうか。反出生主義を想起させるような内容に興味を惹かれる人もいるかもしれない。私の場合、スマホの画面を急に見せられて、さて、先生はどう思いますか、と聞かれても、大抵の場合、困ってしまう。しかし、学生はＳＮＳで流れてくる意見を真剣に考えていることも少なくない。「どうして、先生に聞くの」と学生に言うと、「先生は哲学をやっているから、どう思うのか気になって。これに反論するにはどうすればいいんですかね」などと言ってくる。

授業内で指示した論文や本は長すぎて（また、つまらなすぎて）読めない。ＳＮＳの投稿やコメント欄であれば、昔から読むことに慣れている。だから、ＳＮＳを材料に持ってくる。大学教育はどうあるべきかという正論を脇においておけば、ここまでは理解できるし、学生の生活世界に触れられるので、じつはそれなりに楽しくもある。

サイバースペースに慣れ親しんできた人にとって、ＳＮＳは重要な情報源であり、生活のツールでもある。近況報告やスケジュール調整などを通して、身近な人間関係を維持する。普段はなかなか会うことのできない人と交流し、そこでさまざまな情報やアイディアを入手する。サイバースペースにおける〈私〉とその関係性は、そこだけで意味を持つのではなく、現実世界につながっているのである。

だからこそ、サイバースペースから距離を取ることは難しいし、それを完全に遮断してしまえば、現実的諸関係を駄目にしてしまうことにもなりかねない。幼児が母子間の言語ゲームに巻き込まれていくのと同じくらい自然に、人生のある段階でＳＮＳのゲームに巻き込まれる。このことは仕方がないことだし、とやかく言ってもナンセンスであろう。

ところで、そういう環境で育った人は、現実と虚構の区別がつかず、すべての情報を無思慮に鵜呑みにしている、と思い込んでいるとしたら、それは大きな勘違いである。もちろん、現実世界とサイバースペースの境界線がぼやけている人もいるかもしれないが、私たちがふつう考えているよりもずっと、若い世代は情報リテラシーの感度を持っていて、彼らはインターネットで飛び交う情報が玉石混交であることを知っているのだ。

さらに言えば、そこで表現されているのが、それぞれの〈私〉の限られた一面にすぎない、ということにも自覚的である。このことを受け入れたうえで、サイバースペースという独自のゲーム空間を楽しんでいるのである。つまり、ほとんどの人は、これがどういうゲームなのかを分かってやっているのだ。

とはいえ、絶えず目に飛び込んでくる情報をどう扱えばよいのか、そして、**物事をどう考えていけばよいのか**を知らないままゲームにのめり込んでしまい、そのつど飛び込んでくる情報に右往左往していたら疲れる。それだけではなく、いつの間にか、スマホやタブレットを確認することが一種の強迫観念になってしまい、そこに閉じ込められて、その外部に出られなくなっているとしたら、これはさらにまずい状況だろう。言うまでもなく、**世界はサイバースペースよりも大きい**からである。現実世界の方に新しい可能性が存在することだってあるのだ。

真偽不明の情報に晒され続けた結果、この世界に事実は存在しない、という相対主義的見方を身につけ、ポスト・トゥルースの世界像に慣れてしまうことも問題である。自然な世界確信として、「人それぞれ」が常態化してしまうのだ。思考停止の結果、根拠不明の陰謀論を唱え始める人も出てきている。哲学の観点では、相対主義と独断主義が再び姿を見せている、と考えられるのだ。

以下では、世に出回る言説の真偽を自分で判断する思考法、すべては社会的に構築されているとする構築主義の限界、ポスト・トゥルースが蔓延する現代の問題、またこれと深く関係するフェイクニュースや陰謀論に巻き込まれないための姿勢、そして、ポスト・トゥルースを乗り越えて〈私〉を取り戻す方法を見ていく。つまり、第二章で提示した哲学的思考を実践的に展開するのが本章である。一つずつ順を追って、考察していきたい。

私なら先の投稿をどう考えるのか

発信元を確認すること、複数の情報源を参照すること、拡散するまでに時間を置くこと、ファクトチェックにかけることなど、インターネットで得られた情報を扱うためのノウハウは巷にたくさんある。しかし、哲学的に言えば、問題の本質は、インプットした情報をどう処理するのか、言い換えれば、その事象をどのように考えていくのか、という思考の方法である。その原理については前章で詳細に示したが、ここでは具体的なイメージをつかむために、私自身が先の投稿をきちんと考えてみよう。

私だったら、便宜上、先の投稿の内容を二つの部分に分ける。たとえば、こんな感じである。

（一）生まれてきたら幸せになれない可能性が高いことは哲学で証明されている。

（二）生まれてきたら幸せになれない可能性が高いから、生まれてこない方がいい。また、子どもをつくるのは悪いことである。

まず、（一）の解像度をあげていこう。生まれてきたら幸せになれないとは、どういう意味なのだろうか。詳しいプロセスは後に示すことにして、ここでは端的に「幸せ」の本質を現象学的に取り出してみよう。私の意識体験を反省してみると、幸せは欲望が充足して安定している状態、すなわち、心が充ち足りた「状態」として現われる。また、幸せは「理念」としての本質も持つだろう。幸せの概念には、欲望が充足した心地よい状態の持続や、あらゆる欲望が完全に充たされた極限の想定が含まれているからである。それは、具体的なイメージを持たないまま「幸せになりたい」とつぶやいているときの、あの「幸せ」の感じだ。したがって、幸せの本質には「状態」と「理念」の二つがある、と言えそうである。

だとすれば、幸せと欲望はセットである、ということになる。欲望がまったく動かないとしたら、それが充たされることもないので、幸せは生じない。お腹が減るから美味しいものを食べたときに、幸せを感じられるのだ。何らかの欲望から幸福の秩序は現われており、欲望がなければ、幸せも不幸せも存在しない。

ところが、欲望は人によって異なり、またそれは一人の人間の中でも——場合によっては互いに対立する欲望が——同時に複数あるだろう。それゆえ、幸せの具体的内実は人によって異なる。また、時間的な変化も考慮に入れる必要がある。成長の過程で欲望が変われば、それに応じて何を幸せと感じるのかも変化するからだ。

また、何を幸せと感じるのかは、人が置かれた状況やコンテクストによっても左右されるはずだ。たとえば、周囲の人が貧しければ、貧しいことを不幸だとは思わないかもしれないが、周囲の人が裕福な場合、自分の貧しさが際立ってきて、それを不幸だと感じるかもしれない。とはいえ、自分たちだけが貧しい場合でも、家族や友人に恵まれたら、貧しいことを不幸せだと思わない人もいるにちがいない。

では、生まれてきたら幸せになれないとは、人間の最も重要な欲望を一つに限定できるとしたうえで、それが充たされない、ということなのか。あるいは、もっと一般に、欲望が充たされるための社会的条件が悪くなっている、ということなのか。それとも、別の意味を持つのか。私の観点からは、どうしてもこの辺に曖昧さが残る。

ところで、なぜ私たちは幸せについて考えてしまうのだろうか。動物的欲求や人間的欲望を充たしたいだけなら、それを実現するための手段の考察に時間を割いた方がよさそうなものである。幸せを問うことのうちには、別の何かが潜んでいるにちがいない。どうして、幸福は人間の根本問題となるのだろうか。

私の考えは、こうである。家族と過ごす何気ない現在の一場面に幸せを感じたり、あの時は幸せだったな、と、もう戻ってはこない過去の情景に想いを馳せたり、いつか幸せになりたいな、と、自分の願いを未来に託したりしながら、人間は生きている。忙殺される日々の合間に、この大変な日々をいつか幸せだったと懐かしむときが来るかもしれない、という幸福の認知の予期もやってくる。現在の幸せは永遠には続かない、という終わりの予感に心が暗くなることもあるだろう。

幸せについて考えているとき、意識体験に立ち上がっているのは、単なる欲望の充足や不足ではない。そこには、〈私〉の生に対する納得や期待や幻滅があるのだ。言い換えれば、幸せって何だろう、とつい考えてしまうとき、私たちは、後戻りのできない一回限りの生において、どのような欲望を大切にしていきたいのか、ということをも考えているのである。つまり、幸せを感受したり、予感したり、懐かしんだりすることで、〈私〉は自らの欲望や生の状態を見つめ直している、ということだ。こうやって生きていてよいのだろうか、と、そう自分に問いかけているのである。

こう言ってみることができる。幸せの具体的内実は、その人の生まれ持った資質や性向、価値観や関係性、文化的背景や社会状況に大きく依拠する。この意味では、幸せは相対的なものにすぎない。そうでありながら、幸せが人間にとって普遍的な問題でありうるのは、一回性をその本質とする有限な生の中で、放っておけば無限に増殖しうる欲望を、環境の制約や能力の限界と折り合いをつけながら取捨選択しなければならず、その偶然とも必然とも言えそうな、また受動的とも能動的とも見えそうな、生の淘汰に誰もが納得したいからである。すなわち、〈私〉が選んだことも、〈私〉が選べなかったことも含めて、生の全体を受け入れようとするから、人間は幸せとは何かを考えてしまうのだ。

出生の条件の悪さや能力の限界に打ちのめされ、絶望する。しかし、何とかそれを突破しようと努力する。それでもやっぱり駄目なこともある。人に助けられることもあるし、人に騙されて辛くなることもある。何かに夢中になったこともあるが、人生がだるくて惰性で生きていたこともある。こんなことを繰り返しながら、しかし自分なりに生きてきたことを見つめている。そして、〈私〉はこれからもこうやって生きていく。幸せの問いには、このような物語的自己了解がある。

もちろん、生まれてきたことを後悔している人はいるだろうし、生まれてこない方がよかったと考える人もいるにちがいない。私の人生は辛い、生まれてこない方がましだった――この深いリアリティに疑念を挟むことに意味はない。しかし、このリアリティを幸せになれない可能性と関連づけて一般化できるかどうかは、まったく別の話である。幸せの意味を問うことの方に、人間の本質的かつ普遍的な問題がある、と言えるのかもしれない。

（一）の最後の部分はどうだろうか。幸せになれない可能性が高いことが哲学で証明されている、と書いてあったら、何となくそこに厳密な論理が介在しているような気がする。「哲学」というワードは、難解かつ深遠な雰囲気を醸し出すのには、都合のよい便利な言葉だ。でも、先の文章では、どの哲学者がどう証明しているのかは明らかにされていない。

ここで哲学者の名前が出ていたとしても、その証明を過不足なく伝えることは難しい作業である。プロの哲学研究者でも、訓練を積んでようやくできることなのだから。生まれてきたら幸せになれない可能性が高いことは哲学で証明されている。この言い分だけでは、真偽を判定するための材料が揃っていない。これが（一）についての私のコメントである。

今度は、（二）である。かりに生まれてきたら幸せになれない可能性が高いとしよう。しかし、だからといって、一般に生まれてこない方がいい、と言えるのだろうか。この世界に幸せを感じながら生きている人はたくさん存在する。自分は生まれてこない方がよかったと思っている、という主張であれば、私はその考えを尊重する。しかし同時に、私は、その考えを共有できる人は限られている、とも言うだろう。生まれてきたら幸せになれないかもしれないから、生まれてこない方がよい、というのは、過度に一般化しすぎなのである。

生まれてこない方がよかったと思っている人が、子どもをつくる行為について違和感を持つのは理解できる。たとえば、お前なんか産まなければよかった、というあまりにもひどい暴言を浴び続けて育った人の中には、子どもを持つことにエゴイズムを感じ、それを無責任に思う人もいるかもしれない。先の場合と同じように、この個人の考えを私は理解し尊重できる。

しかし、一般に、子どもを持つかどうかは、個人の選択の自由に任せるほかない問題であって、それ以上の原理はない。たしかに、子どもを持つことには大きな責任が伴うし、その責任を軽く考えてはいけない。実際、無責任な親も存在する。そうだとしても、選択の自由は保障されるべきであり、子どもを持つ自由も持たない自由も尊重される社会設計が普遍性を持つ、と私は考える。もちろん、自由の普遍性とは異なる社会原理に基づいて、考えを進めていくこともできるだろう。だが、その場合、どういう原理で社会を構想するのかについて十分に説明し、多くの人が納得しうるものにしていかなければならない。

こうして、先の投稿には不明瞭な部分が多く、真偽を判定するための材料が十分に揃っていない、ということが分かる。一言でいえば、議論の前提が成立していないのだ。ところで、これはいかにもプロっぽい回答だろう。しかし、ここで重要なのは、もっともらしい私の「答え」を使って反撃することではなく、自分なりの言葉と論理を組み立ててみることである。先の投稿の代わりに私の主張を採用してしまえば、考える〈私〉の存在が希薄である状況はさして変わらない。これでは善のパッケージに飛びつくのと同じである。

SNSで述べられていることを漠然と受け入れたり、逆に猛烈に批判したりするのではなく、まずは〈私〉にとって、その事象はどういう意味を持つのかを深く掘り下げてみるのだ。ちなみに、先の例は私が適当につくったものであり、現実の投稿ではない。だから、そこに批判すべき相手はいない。反射的な批判や論破からは距離を置いて、〈私〉の洞察と表現に軸足を移す。そうして、〈私〉を浮かび上がらせるのだ。

新デカルト主義の方法

新デカルト主義の思考には、四つの階梯がある。

（1）懐疑とエポケー
（2）キーワードの抽出と意識体験の反省

（3）想像力と自由変更
（4）本質の洞察

改めて、先の例で考えてみよう。まず、私は内容を「疑う」ことから始めている。最初から情報（伝達されている意味内容）を鵜呑みにしてしまったら、批判的に考えていくことはできない。情報の精査においては、意識的に疑う習慣をつけておくことが肝要だ。物事を性急に判断せず、まずはいったん立ち止まるのである。

ただし、ここで注意したいのは、私たちは疑うために疑うわけではない、ということである。つまり、疑うことそのものが目的ではない。疑いによって懐疑と相対性の中に闇落ちするのではなく、情報の妥当性を検証しながら確かめていくために、判断を保留するのだ。これは誰かを攻撃し傷つけるためではなく、建設的に〈私〉を取り戻すために必要な手段なのである。

つぎに、観点を決めなければならない。それは思考の方向性になる。私たちは、思考の観点を増やしていくことで、物事を多面的に考えることはできるが、それを一度に全面的に――あらゆる観点から自由に――考えることはできない。だから、思考にはある種の限定が不可欠なのだ。

思考の観点を定めるのに役立つのが、「キーワード」の抽出である。たとえば、今回、私が抽出したキーワードは「幸せ」である（もちろん、他のキーワードでもよい）。幸せとは何かをうまく規定できなければ、「幸せになれない可能性」という言葉の意味内実がはっきりしない。すると、どうして誕生や出産が否定されるのかも判然としなくなるだろう。キーワードを取り出すことで、思考の観点を定めて、情報の妥当性を吟味するための足場をつくるのだ。すなわち、幸せの本質とは何か。これが私の設定した問いである。

キーワードを抽出して問いを立てたら、それが〈私〉にとってどういう意味を持っているのかを「反省」する。その際重要なのは、〈私〉自身の意識体験に向かって問うことである。どんなときに〈私〉は幸せを感じるのか、幸せになりたいと思うときや幸せだった瞬間を思い出すとき、意識体験の中で何が生じているのか——。これらを丁寧に見ていくのである。とはいえ、この反省作業は、エポケーを徹底したうえで為されなければならない。簡単に言えば、幸せとはこういうものだと決めつけない、ということだ。先入観は脇に置いて、幸せという現象が〈私〉にどういう現われ方をしているのかをよく観察する。幸せがそれ自体として何であるかということではなく、〈私〉が体験する幸せの意味を一つずつ記述していくのだ。

ただし、〈私〉の体験には限界がある。言うまでもなく、〈私〉の体験できる範囲は限られているからだ。そこで行なうのが、「想像力」を駆使した「自由変更」である。要は、さまざまな幸せの在り方を自由に想像してみるのだ。具体的には、他者の体験、芸術作品、空想などを用いて、幸せにバリエーションを持たせるのである。あの人だったら何を幸せと感じるだろう、あの映画で主人公が幸せそうだったのは、どうしてだろう、こんなことに幸せを感じることもあるかもしれない……。このように、想像上の事例を思考の材料にすれば、思考は格段に自由になるし、その内容も豊かになる。

たとえば、こういうことである。幸せという言葉を聞いて、私が真っ先に思いつくのは、お風呂に入って幸せ、美味しいものが食べられて幸せ、といった身体的な感受である。しかしそれだけではなく、家族と平穏な日々を過ごせて幸せ、友人と夜遅くまで話せて幸せ、といった関係性の中で感じる幸せもあるだろう。私はあまり感じたことはないが、仕事がうまくいって幸せ、サッカーの大会で優勝できて幸せ、といった評価や達成に幸せを感じる人もいるはずだ。このようにして、想像力を働かせながら、材料を集めていく。

では、これらの体験に共通する幸せの「本質」とは何だろうか。幸せの具体的な中身はそれぞれ異なっているが、何らかの欲求や欲望が充たされて、その状態に満足している、という点では、すべての体験は同一の構造を持っている。本質洞察の精度を高めるために、この段階でさらに自由変更を使いながら、新しい材料を持ってくることも有効である。たとえば、私が本を読んで感じる幸せには当てはまるだろうか、と。たしかに、知識欲が充たされている、と言えそうだ。このようにして、すべての幸せの体験に共通する本質条件や本質構造を言語化していくのである。

ここまで見てきたのは「状態」としての幸せだが、別の観点から幸せの本質を観取することもできる。一例を挙げるなら、私たちは「幸せになりたい」と言うだろう。この一言が表現する幸せは、（一時的に）満足している状態というよりは、そういう状態を求める志向と対になる（永続的な）理念や目的のようなものである。幸せは心地よい状態なので、人は幸せになりたいと願う。すると、幸せそのものが一つの欲望の対象となるのだ。そうして出てくるのが、「理念」（目的）としての幸せである。つまり、幸せは単なる一時的な状態だけではなく、生の目的としても存在する、ということだ。

こうして、〈私〉にとっての幸せの本質――幸せを幸せたらしめている核心的な意味――がはっきりと見えてくる。すなわち、幸せとは欲望が充足して安定し、心が満ち足りた状態であること、また、幸せは生が目指す理念（目的）としても現われること――実際、私はこういうプロセスで、幸せを論じたのである。

もちろん、私の認識は有限なので、この洞察そのものは絶えざる批判に開かれている。別の観点を設定すれば、幸せの本質を構成する別の契機が際立ってくるかもしれない。しかし、ここで何よりも重要なのは、幸せの意味を決定する絶対的な正解がどこかにあるわけではない、ということである。幸せの意味はそれぞれの〈私〉の生の体験に根ざしている。だからこそ、私たちがぼんやりと了解している幸せの意味を、反省を通して少しずつ言語化して、その本質条件や本質構造に近づいていくしかないのだ。

懐疑とエポケー、キーワードの抽出、意識体験の反省、想像力による自由変更を経て、徐々に幸せの本質がつかめてきたら、ようやく「幸せになれない可能性」という一節に取り組むことができるようになる。一言でいえば、それは欲望が充足されない可能性、ということである。すると、このことが誕生や出産の一般的否定に帰着するのかも吟味できるようになるだろう。

ところで、先ほどは書かなかったが、いくつか他の問題もある。たとえば、「幸せでない」と「不幸せである」は同じ意味なのか、という問いである。欲望が充足されなければ、幸せを感じることはないにせよ、その状態を不幸せと呼んでいいのかは微妙なところだ。もしかしたら、幸せでも不幸せでもない状態があるかもしれない。本質洞察をする際には、こんな感じで、ときどき主題から脱線しつつ、意識体験をよく見ながらあれこれ考えていく。この点で言うと、ここで私が書いている幸せの本質は、綺麗にまとまりすぎているきらいがある。事実、書いてはいないけれど考えたことは、ほかにたくさんあるからだ。

以上が、新デカルト主義的思考の実践である。とはいえ、このように進んでいけば、合意や共通了解に必ず到達できるわけではない。むしろ、共通了解をつくることはそんなに簡単ではない、と言っておいた方がフェアだろう。それでも、どのように考えていくべきかを考えておくことは、日々流れてくる玉石混交の情報に〈私〉が埋もれてしまわないための大切な作業である。

〈私〉の意識体験に基づいて思考していけば、対象は〈私〉にとってどういう在り方をしているのか、ということがはっきりする。また、そのように体験している〈私〉の存在にも直面することになる。というのも、対象の与えられ方には、〈私〉の関心や欲望が反映されているからである。だから、対象を熟視することは、〈私〉の欲望の動き方や志向性の癖のようなものを発見することにつながるのだ。

たとえば、幸せの本質と向き合うと、自分は大きなお風呂に入ることに幸せを感じるけど、みんなとは違って友人関係には幸せを求めない、ということが分かってきたりする。その作業をしているうちに、段々と〈私〉という存在の輪郭がはっきりとしてくる感覚を抱くだろう。つまり、対象の本質洞察は、〈私〉の自己了解と一緒に深まっていくのである。したがって、意識体験とは、〈私〉のありようを深く了解していくための現場でもあるのだ。

「正しさをめぐる争い」は終わりにする

　では、意見や立場が食い違った場合、どういう態度を取ればよいのだろうか。うまく共通了解を得られない場合である。一般によく見られるのは、何とか自分の考えの正しさを論証しようとする態度だ。もちろん、意を尽くして説明することは重要だが、それが他者への攻撃性に反転するなら、もはや相互の認識論的尊重は失われて、力の論理と終わりの見えない信念対立が場を支配する。そうして、合意や共通了解を得る可能性がますます潰(つい)えていくのである。

　こういう場合、何よりもまずエポケーを貫徹することが重要である。対象それ自体の姿を、そのままの形で知ることは決してできない。さらに言えば、世界全体をまるごと知ることは不可能である。こうした認識論的自覚を体現するための方法が、エポケーなのだ。私たちは、総じてみな、同じ条件に立たされていて、それぞれの認識の絶対性と有限性を引き受けざるをえないのである。

　しかし、このことは、たとえ自分とは異なる意見や立場だとしても、すべての〈私〉は同じ条件に縛られている、という根本的かつ不可避な共通性を確保する。そこから導かれるのは「相互承認」の態度である。それは、互いを対等かつ自由な認識者として認める態度であり、意見や立場を自由に表明する場をつくるために、一番初めに要請される約束事である。すなわち、互いの違いについては相互承認したうえで、全員が確かめて納得できる共通性を見出そうとするのが、新デカルト主義なのである。

別の観点から見れば、これは、生き方の複数性を認めたうえで、異なる他者と――同じ人間として――共に生きていこうとする市民の態度でもある。相互承認は、それぞれの〈私〉の内実がどれだけ異なっていたとしても、一人の市民としては同じである、というメンバーシップの感度に基づくからだ。それゆえ、新デカルト主義は市民社会を成立させるための基礎的な考え方である、とも言えるのである。

しかし、ここで一つ注意すべきは、新デカルト主義の相互承認は、相対主義とは似て非なるものである、ということだ。すでに述べたように、想像力を駆使した自由変更は、他者の体験に思いを巡らせることを含意するからである。相対性の安寧に閉じこもるのではなく、〈私〉とは異なる他者の体験を追体験し、そのうえで、〈私〉の意識体験を改めて内省し、まずいところは修正および訂正しつつ、共通了解を目指して努力するのが、私がここで提示したい哲学である。これは、〈私〉から出発して普遍性の創出を目指す哲学であり、〈私〉の相対性で満足することはない。

もちろん、合意や共通了解をつくっていくのは、簡単ではない。しかし、共通了解の可能性を言論の中に担保しておかなければ、後に残されるのは力と争いである。誤解を恐れずに言えば、複数の人間が何かを決めようとする場合、「言論」と「力」という選択肢だけしかないのである。つまり、話し合いか、殴り合いか、ということだ。もしかしたら、何となく胡散臭く響くかもしれないが、突き詰めて考えるなら、決定手段というものは、一般に思われているほど多くはない。

この問題について深追いはしないが、二つのことを言っておこう。一つは、言論と力以外の可能性である。たとえば、ＡＩによる決定、じゃんけん、くじ引きなどが思いつく。しかし、ＡＩに決めてもらうということをどう決めるか。このように問いを立ててみるなら、私たちは再び、先の二者択一に呼び戻される。すなわち、ＡＩに決めてもらうことを言論の中で決めるのか、それとも、力のある人がそれを決定するのか、である。結局のところ、言論による共通了解の創出、もしくは、力による覇権だけが残る、ということが分かる。

もう一つは、言論そのものが力のゲームになっている可能性である。コミュニケーションの内側に力の要素が入り込んでいて、見かけ上は民主主義的な手続きで決まっているように見えても、その内実は権力による決定にすぎない、というやつである。私はこれを「形式的民主主義」と呼んでいる。

コミュニケーションをフェアにするための条件――たとえばコミュニケーションの場に

権力関係や利害関係を持ち込まないこと――を徹底することで、よりよいコミュニケーションの場をつくろうとする。ところが、現実世界における組織の決定では、そんなにうまくはいかない。それどころか、形式的民主主義の場合が圧倒的に多い。この感覚は広く共有されているにちがいない。

たしかに、コミュニケーションに潜んでいる暴力性は、やっかいな問題である。現代分析哲学を専門とする三木那由他は、コミュニケーションを約束事を積み重ねていくプロセスとしたうえで、その約束事を一方にとって都合のいいように捻じ曲げるコミュニケーション的暴力を「意味の占有」と呼んでいる。三木によれば、それは「発話がどのような意味を持っているのかの決定権を独り占めし、相手が口出しできないようにしたうえで、そのようにして自分に都合のよいように捻じ曲げた約束事に相手を服従させる、というイメージ」(三木那由他『会話を哲学する』、二〇五頁)である。

力のある者が約束事の意味を独占し、それをいいように解釈する。たとえば、会社の会議でプロジェクトの分担をして、その後、取引先との交渉がうまく進まなくなったとき、上司に「お前、あの時、やるって言ったよな」と、自分一人が責められるような場合である。会議の際の約束事では、全員でこのプロジェクトを進めていく、ということだったのに、状況が悪くなったら上司はその約束事を歪曲し、自分一人がこのプロジェクトの担当者である、という意味だったことに変えてしまう。そうして、失敗の全責任を部下に背負わせる。

こういう事例は、枚挙にいとまがない。コミュニケーション的行為そのものが力のゲームになっている、というわけである。普遍性は全体性に反転する可能性がある以上、これは非常に重要な視点だ。しかし、コミュニケーションに内在する暴力契機を批判するためには、もう一つのコミュニケーションをつくりだすしかないだろう。そうでなければ、力によって力を駆逐する以上のことができなくなるからである。

つまり、コミュニケーションのありようを批判的に見る視点を維持しつつ、力の正当性の根拠を言論による共通了解に置くしかないのである。コミュニケーションに入り込んでいる暴力性を警戒するあまり、力の正当性に関する議論がなくなるなら、それこそ暴走する複数の力による対抗関係だけが残されることになる。だからこそ、さまざまな問題点があっても、言論は捨てられないのだ。もちろん、力による覇権の方がよい、と多くの人が考えるなら、人間社会は闘争状態に差し戻されるほかない。それは、ルールではなく、純粋な権力関係で運営される社会となる。

私の考えを端的に述べれば、こうである。言論は「正しさをめぐる争い」ではなく、「協働のプロジェクト」だ。個人戦ではなく、チームでプロジェクトを進めていくのが言論だと捉えれば、誰かからよいアイディアが出れば、それでOKだろう。とすれば、どういう態度を養っていけば、また、どういうチームづくりをすれば、さまざまな場所からよいアイディアが出やすくなるのか、ということに注力する。意見や立場の違いを歓迎しつつ、しかし必要な場合に、それらの差異を越境する普遍認識の可能性を担保しておく。相対主義と独断主義を調停しながら、それでも前に進んでいくためには、こういう地道なプロセスを繰り返していくしかない。

〈私〉の信念を正当化してくれる強い理論と一体化して、それとは異なる考えを徹底的に論駁するのは、気持ちがいいことかもしれない。優良な善のパッケージを手軽に買って、それを武器にして戦えば、サイバースペースで相手の意見を論破し、不特定多数から見せかけの承認を得ていくことは難しくない。

しかし、いま本当に求められているのは、〈私〉の世界認識のありようを検証しながら、〈私〉の輪郭と普遍性への期待を取り戻すことである。正しさだけを追い求めても、〈私〉の思考は行き場を失う。〈私〉(たち)だけが絶対に正しくて、それに同意しない者は間違っている。正しさの公準は人それぞれであって、共通了解は不可能である。どちらも言論に対する不信や絶望を深めるだけだから。そして、この相互不信の先に待ち構えているのは、終わりなき闘争である。実際、私たちの社会は、このような力のゲームに近づいていないだろうか。別の角度から考えてみよう。

フェイクニュースとポスト・トゥルース——構築主義的描像の功罪

フェイクニュース（正しそうに見えてじつは間違っている情報）の拡散やポスト・トゥルースの世界観（客観的事実は重要ではなく、感情や信念への訴えによって事実がつくられていくという見方）には、哲学的な背景が存在する。もちろん、私は、哲学がこの時代状況をつくりだした元凶である、とは主張しない。しかし、哲学もまた、一つの状況の中で生まれるのだから、否応なくその時代の雰囲気とリンクするのである。現代哲学の文脈では、構築主義の描像がフェイクニュースやポスト・トゥルースと密接に関係している。ここで改めて、構築主義とこれらの結びつきを問い直してみよう。

まず、構築主義の主張の要諦は、こうである。すなわち、客観的な事実は存在しない。私たちが事実と呼んでいるものは、社会的−文化的につくられたものである。ここで事実が構築される過程には、さまざまな要素（文化、言語、宗教、歴史、ジェンダー、無意識、身体性、権力など）が介在している。しかし、これらの要素は普遍的たりえないので、存在とその認識は相対化される、という理屈である。

権力を例にとって、具体的に考えてみよう。構築の過程に（権）力が介在しているなら、私たちが事実とみなしているものは、パワーヒエラルキーの上部にいる人間にとって有利に働くようにでっちあげられたものである、ということになるだろう。簡単に言えば、強者にとって都合のよいことが事実とみなされ、それがまかり通っているわけである。

たとえば、女らしさや男らしさが規範化された社会では、女性と男性のあるべき姿が固定されているので、その規範とは別の生き方を歩もうとする人びとの自由は抑圧される。社会が良妻賢母の理想を押し付けるなら、それは妻にも母にもならない女性を苦しめるにちがいない。では、この社会通念は誰にとって都合のよいものだろうか。言い換えれば、この事実が存在することで、誰が得をするのか、ということである。それは、家庭のことを顧みずに仕事ができる男性かもしれない。社会をうまく回そうとする政治家かもしれない。利潤の最大化を夢見る資本家かもしれない。ここで強者の権力や意向が構築の過程にいかに入り込んだのかをつぶさに分析すれば、女らしさや男らしさの自明性は崩れる。そうして、それまで当たり前だと思われていた事実は、そのじつ特定のコンテクストに依存していたものにすぎない、ということが明らかになる。

このように、事実を相対化する役割を担うのが構築主義である。すなわち、事実は客観的に存在していない。それは必ず何らかの観点に対して相対的なものである。文化や社会によって、何が事実とされるのかは異なる。構築主義はこれらのことを暴き、事実、真理、本質、普遍性を徹底的に相対化するのだ（とはいえ、構築主義にも多くの立場があり、ラトゥールのような例外も存在する）。

時として暴力的に働く社会通念や世間の常識を批判する構築主義は、社会から疎外された人びとや周縁化された人びとを励ます思想になるだろう。特定の人びとの自由を著しく侵害する伝統的価値規範があるとき、社会で自明視されているその規範を相対化し、抑圧され周縁化された人びとの気持ちを代弁することができるなら、これは自由を擁護する思想にもなる。実際、ジェンダー論やカルチュラル・スタディーズは構築主義をその基礎理論として取り入れており、この意味で構築主義はマイノリティの側に立つ思想なのである。

ところが、構築主義には大きな課題が残る。それは、相対主義の限界を突破できない、というものである。一切を社会的－文化的構築物とみなしてしまうと、今度は、文化や社会の多様性を越境する普遍性を基礎づけることが難しくなるからだ。そこには当然、マイノリティの権利を支える自由や人権の普遍性も含まれている。構築主義の論理を押し進めた結果、自由や人権すらも相対化されてしまうなら、これはまずい状況というほかないだろう。

最も問題なのは、次のことである。すなわち、相対主義は、結局のところ、パワーゲームに対抗する手段を私たちから奪う、ということである。すべてが対等な構築物にすぎないとしたら、力による闘争も一つの正当な手段になってしまい、これに抜本的に反論することができなくなるからだ。実際、フェイクニュースの捏造やポスト・トゥルースの状況を利用した政治的ポピュリズムの台頭を、構築主義的相対主義は止められない。それどころか、むしろ世界観としてはそれを助長しているという残念な事実に、私たちはそろそろ気づいてよい頃である。

ならば、こう言ってみることができる。相対性から抜けられなければ、それは力の論理を容認することに等しい、と。このことはつまり、力（資本、権力、地位）に物を言わせる社会の到来を意味する。そこで登場したのが、ガブリエルの新実在論だという現代哲学の事情については、第一章で確認したとおりだ。いま、構築主義は一つの限界を迎えつつある。

別の観点で考えてみよう。「人それぞれ」という言葉である。話がうまく合わなくて議論が行き詰まりそうになったときや、意見の違いが際立ってきて何となくその場が気まずい雰囲気になってきたときに、私たちは「結局、人それぞれだからね」と言う。そのように言っておけば、その場の空気感を何となく守りつつ、議論や話し合いに緩やかな幕引きをはかることができるからである。

「結局、人それぞれだからね」と言われて、「いや、この問題は人それぞれじゃ済まない」と言い返す気概のある人は、ほとんどいないだろう。それどころか、そんなことを言ったら、ちょっと面倒なやつだと思われるにちがいない。折角その場をおさめようとしているのに、どうして煽るようなことを言うのだ、と。

これ以上、話を進めていくと、誰かが嫌な気持ちになりそう。結果として、互いの関係が悪くなりそう。人それぞれ発言は、他者を守るために、この話を深追いするのは止めよう、という合図としても機能する。つまり、ここには多様性を守ろうとするケア的な側面がある、と言えるのだ。それゆえ、この発言に異を唱えるのが難しくなる（詳しくは、小川泰治との共著論文「「人それぞれ」発言は哲学対話に何を引き起こすのか」を参照してほしい）。

いずれにせよ、人それぞれを大事にすることは悪いことではない。それは、多様性の尊重を意味するからだ。民族、文化、宗教、言語、ジェンダー、身体性などの差異を無視して、感受性や価値観や世界観を「みんな同じ」にしようとすれば、それこそ全体主義の暴力になる。全体主義のムードに比べたら、「人それぞれ」の空気感は明らかに安全なのである。

しかし、すべてが人それぞれで解決すると思っていたり、思考や対話の踏ん張りどころでいつも人それぞれを口に出して逃げたりしていたら、今度は共に生きるために必要なルールや枠組みが成立しなくなる。たとえば、いじめやテロリズムを人それぞれで済ますことはできない。

さらに言えば、最初から人それぞれだと決めてかかって、深く話し合うことをしなくなるなら、私たちは互いに何を考えているのかが分からなくなる。実際は、確かめてみなければ、本当に違うかどうかは分からないはずなのに、意見の相違が顕在化するのを恐れて、対話そのものをやめてしまう。これは、いわば相対主義が独断化しているのであり、人それぞれが硬直化している状況だと言ってよい。では、人それぞれを守りながら、しかし同時に、その限界を突破する方法はあるのだろうか。

　私の考えでは、フェイクニュースやポスト・トゥルースに振り回されるのは、相対主義（構築主義・人それぞれ）のゆりかごに安らっていることの代償である。すべてが社会的‐文化的につくられているなら、フェイクニュースやポスト・トゥルースに対置させる事実や真理を見出すことはできない。すべてが人それぞれで片付くなら、フェイクニュースをつくる人も、フェイクニュースを拡散する人も、フェイクニュースを疑う人も、フェイクニュースで傷つく人も、互いに触れ合うことのない人それぞれを生きるだけである。ポスト・トゥルースと構築主義は、深いところで共鳴しているのだ。

　もっともらしいイメージをうまくつくることさえできれば、真を偽にすることができる。フェイクとリアルの境界線は存在しない。感情に訴えかけて多くの人を扇動できれば、オルタナティブ・ファクトを信じさせることができる……。ポスト・トゥルースという相対主義的世界観の蔓延は、さまざまな理由により普遍性を喪失した時代にある――〈私〉と他者をつなぐ原理を見失った――人間の一時的な挫折形態にすぎない。

その情報が事実かどうかはどうでもいい。その主張が妥当かどうかを確かめない。とりあえず、声の大きい者、人気のある者に従っておく。何となく面白いので、出典不明の情報や根拠不明の主張を拡散する。もし、こんなことを繰り返しているとしたら、それが相対主義を助長し、力による覇権を正当化してしまうのである。

いまは攻撃されていなくても、いつか弱い立場に〈私〉が立たされる可能性はある。力のゲームが維持されているなら、攻撃の標的は任意で偶然的なものだからである。それはちょうど、クラスで人気のある子が友達を馬鹿にしたときに、声を上げられないのと似ている。いまは〈私〉じゃない。でも、風向きがちょっとでも変われば、今度は自分がいじめられる。このゲームそのものを変えなければ、力を制御することは叶わない。

構築主義を乗り越える

構築主義の倫理的意義は明らかであり、また、構築主義の主張も完全に間違ってはいない。〈私〉の認識が社会や文化の影響を受けていることは疑えないし、それは必ずある仕方で時間的に構築されているからだ。それゆえ、構築主義の立場から見れば、むしろ〈私〉

の絶対性こそが幻想なのである。しかし、にもかかわらず、新デカルト主義の起点となる〈私〉の意識の優位は揺らがない。なぜだろうか。

　説明しよう。たしかに、〈私〉の認識には、時間的‐発生的な背景がある。簡単に言えば、小さい頃からそう教えられてきたから、そう見えるという側面を持っているのだ。たとえば、リンゴが食べ物に見えるのは、リンゴが食べ物であることを教えられたからである。ネコとイヌが違う動物であることを知らなければ、ネコとイヌを区別することはできない。生まれた場所が異なっていたら、物の見方も異なっていただろう。〈私〉の認識には、つねにすでに、過去の経験、他者の認識、文化の影響が入り込んでいる。この指摘は正しい。

　だが、ここで注意すべきは、**〈私〉の認識の構築の妥当性を判断するのは、〈私〉の意識体験にほかならない**、ということである。たとえば、私の物の見方には哲学好きの父の影響があるかもしれない。北海道の土地柄もあるかもしれない。札幌南高校や早稲田大学で受けてきた教育に左右されているかもしれない。このように、さまざまな影響関係を想定することが可能である。

　ところで、何が影響を与えているのかを突き止めようとすれば、〈私〉の意識は、それがいかに時間的に展開してきたのかを、それ自体に向かって問うしかないだろう。いまの私の在り方に父の面影があることに気づき、はっとすることはあっても、ほとんど会ったことのない親戚の影響は認められない。札幌南高校の倫理の授業に大きな影響を受けていても、札幌西高校の現代文の授業はまったく関係ない。

　これらの確信はすべて私の意識体験で生成しているが、それを根底で支えているのは「反省的エヴィデンス」である。すなわち、私が意識体験を直接反省したときに、どのくらいそれを確かめて納得できるかということが、直観の時間的構築の妥当性のグラデーションを描き出すのだ。会ったことのない親戚や受けたことのない現代文の授業は、私の認識を構成する要素にはなりえない。この強固な確信を構成する場所は、私の意識体験以外にはないのである。

　つまり、こうだ。**構築主義の主張の妥当性は**、**〈私〉の意識体験で吟味されるほかない**。〈私〉が確かめて納得できるかどうかが、〈私〉がいかにつくられてきたのかを判定するための試金石となる、ということだ。ここでよく持ち出される批判は、単にそれと気づかないだけで、〈私〉は〈私〉の意識できないものによって構築されている、というものである。

　しかし、この言い方はナンセンスである。それは、〈私〉の意識体験を無視した独断的主張にすぎないからだ。もし〈私〉に〈私〉の構築の妥当性を確かめる権利がないのだとすれば、他の〈私〉にもそれはありえない。構築主義者だけが、特権的な場所から社会的構築の様子を眺めることなどできないのだ。

意識の外部からの構築という指摘に何らかの意味があるとすれば、たとえば、会ったことのない親戚がじつは父と深く関係しており、その父を通じて私に影響を与えている、ということに思い至ったときである。しかしこの場合、私は、私の確信の内実を編み変える新しい条件を獲得している、と言えるのであり、やはり意識体験で確かめて納得できるということが認識の究極の底板として機能している。〈私〉がいかに構築されているかは、〈私〉の意識体験で判定される。〈私〉以上に他の〈私〉がその権利を持つのはおかしい。特権性を糾弾する構築主義そのものが、自らの特権性に気づいていないのである。

もう一つ、例を出そう。〈私〉の意識は、〈私〉の意識が差別的に物を見ている、ということに気づくことができる。すると、物の見方を修正して、それまでの差別的な視線を反省するだろう。もしかしたら、受けてきた教育の中に差別意識が潜んでいたのかもしれない。社会の中に見えない差別構造があったのかもしれない。あるいは、〈私〉が無意識に積み重ねてきた偏見なのかもしれない。〈私〉がこのことに気づき、また差別が悪いことであると認知できるなら、〈私〉の意識は、過去の時間的構築に抗（あらが）って——いわば未来の時間性に向かって——それ自身を変えようとするはずだ。これらは、すべて意識体験の内部で生じる出来事である。

だから、〈私〉の意識の絶対性の内実は時間的に変化する。〈私〉の意識は閉じられて自己完結しているわけではない。他者からの指摘が、大きな役割を果たすこともある。たとえば、何気ない物言いの中に、差別的な見方を指摘される場合である。しかし、その他者の指摘の妥当性を吟味するのは、あくまでも〈私〉の意識であり、自分で差別的だと思わなければ、他者に対して反論する権利がある。それを聞いて、他者の方が考えを改める可能性もある。他者との関係によって〈私〉の認識の内実は変化しうる。が、それでもなお、〈私〉は〈私〉を離れることができないし、〈私〉の意識が認識論的優位にあるという事情は、まったく変わらないのだ。

さて、それぞれの〈私〉が〈私〉として存在するという意味では、「人それぞれ」の状況と大差ないように見えるかもしれないが、新デカルト主義の方法原理があってこそ、〈私〉は〈私〉の意識体験に認識の不可疑性の根拠を感じながら、それでもその絶対性に拘泥することなく、原理的に有限な直観の内実を、普遍性に向かって編み変えていけるようになる。この絶対性と有限性の緊張関係を引き受けようとするときにだけ、差異のでこぼこを平坦にしない、健全な普遍認識への道が開かれるのだ。

もう一度、言おう。〈私〉の認識には、〈私〉が確かめることのできる根拠がある。たとえば、目の前のリンゴが実在しているという確信には、リンゴが見えていることや、リンゴが他の対象と因果関係にあることなどの条件がある。これらの条件は、リンゴの実在の本質を意識体験に向かって問うことで得られるが、ここで注目すべきは、〈私〉にそう見えているという点で、これはある種の絶対性を有する、ということである。つまり、見えているものを見えていないと言うことはできず、意識への所与をそれ以上疑う動機はない、ということだ。

ところが、この絶対性は有限性と隣り合わせである。〈私〉にリンゴが見えているからといって、他者にも同じように見えているかは分からない。リンゴなんてないよ、と言われたら、〈私〉の直観と他者の直観は食い違うことになる。この場合、私たちはどうして直観が食い違うのかを確かめようとするだろう。〈私〉が幻覚を見ているのか、それとも他者が〈私〉をからかおうとしているのか、はたまた、リンゴのレプリカなのか……。無論、認識の構造がまったく異なる可能性もある。

重要なのは、認識の差異と同一性は、原理的に言って、確かめてみなければ分からない、ということである。他者の物の見方の絶対性を尊重しながら、〈私〉と他者の認識に差異と同一性が生じる条件を取り出そうとするとき、そこには差異の相互承認と、差異を乗り越える普遍性への望みがある。もちろん、どうなるかはやってみなければ分からない。が、少なくとも、この思考の理路は、構築主義（相対主義）とも全体主義（独断主義）とも違う、多様性に開かれた新しい普遍性を提示している。

さらに言えば、〈私〉の直観は、偶然的ないし無根拠に変化するわけではない。先の例では、〈私〉は、〈私〉の認識が差別的で修正されるべきものである、ということに気づく。しかし、その反省と気づきは、差別がどうして悪いことなのかについての合理的かつ普遍的な根拠によって支えられている、と言えるだろう。これこそは、文化的構築の相対性に回収されない人間の普遍条件である。ただし、私が言いたいのは、およそすべての変化に普遍的な理由や根拠がある、ということではない。構築主義を乗り越えて、必要な領域で、普遍性をつくるためには、人間の条件の共通性や欲望の間主観性に目を向けざるをえない、ということなのである。

端的に言えば、「〈私〉にはこう見える」を持ち寄って、「〈私たち〉にはこう見える」をつくっていく、ということである。フェイクニュースやポスト・トゥルースを加速させる構築主義的描像を取っ払って、〈私〉から〈私たち〉に抜けていく道を模索する。この普遍性を目がけるゲームだけが、ポスト・トゥルースに終止符を打てるのである。

デカルトやフッサールのいう意識とは、さまざまな対象確信が生成する現場のことである。だから、その絶対性がすべての認識の正当性の源泉だと言われる。でも、そこには意識の自己批判も含まれており、意識は、自らの時間的展開の構造を明らかにすることができるのだ。それゆえ、本来、構築主義の主張は、新デカルト主義の内部でのみ正当化しうるものである。

〈私〉の意識が、それが構築されているという理由で、まったく信用ならないものなら、構築主義の議論も、それからあらゆる学説の妥当性についての議論も、一切成立しない。というのも、構築主義者の主張は、それ自体が意識体験で構成された一つの確信であって、これに何らかの意味があるとするなら、それは、紛れもなく構築主義者の意識体験が付与するものだからである。

デカルト的な認識の根拠を否定し、それを別の形で確保しないのなら、構築主義者は、構築主義の主張もまた何らかの仕方で構築されている（かもしれない）、という命題以上のことを言えなくなるのだ。こうして、相対主義は相対主義に跳ね返ってくる。一切は相対的であるという主張も相対的である、ということになるからである。このことに開き直る論者もいるかもしれない。相対的主張を相対化し続けることが哲学の使命である、と。だが、話し合いと殴り合いの二者択一に鑑みれば、この開き直りは暴力に対して無責任である。

科学・陰謀論・形而上学

フェイクニュースやポスト・トゥルースの時代に注目を集めているのが、陰謀論である。

陰謀論は、明確な根拠がないにもかかわらず、ある事象の背後に何者か（特定の組織や秘密結社）の意志が働いていることを断定する。たとえば、パンデミックは中国政府の意図した出来事である、コロナワクチンは先進国が世界の人口削減を狙ってつくったものである、と根拠なしに言えば、これが陰謀論にあたる。以下、陰謀論および奇蹟の正体を見極めることで、その大胆な独断的仮説に搦めとられない思考の原理を提示することにしよう。

大抵の場合、陰謀論は合理的根拠の乏しい仮説として現われるが、その情報を面白がって拡散する人が増えたり、著名な人がそれを支持したりすると、その独断的仮説を事実と信じる人が出てくる。そうすると、フェイクニュースと同じように、何であれ言った者勝ち、というゲームになる。つまり、正反対に見える相対主義と独断主義は、じつはコインの表と裏なのだ。相対主義が蔓延すれば独断主義に余地を残すし、独断主義が複数出てくれば、それは相対主義になるからである。それゆえ、ポスト・トゥルースと陰謀論は手を取り合っている、と言える。

一つのフェイクとして陰謀論が提起されるとき、それにどう対応すればよいのだろうか。陰謀論といえども、それらしく見えることもあるし、後になって、それが実際に正しかった、と判明することだってあるかもしれない。陰謀論を反射的に拒絶することは簡単だが、私たちとしては、陰謀論を初めから全否定するのではなく、むしろその信じがたい仮説を確信してしまう条件を明らかにすることで、陰謀論の確信形成の原理的解明を行ないたい。

そのために私は、イギリス経験論の代表的論者デイヴィッド・ヒュームの議論を手がかりにするつもりだが、まずはさしあたり、陰謀論の一般性格を科学（観察や実験に基づいてデータを集積し、事象の因果関係を明らかにする学問）および形而上学（経験可能な範囲を越えて、世界全体の根本原因や究極根拠を推論する哲学）と対比しながら見ていこう。

さて、科学的思考の本質とは何だろうか。キーワードは物事の原因を洞察する「理性」である。ある未知の現象が目の前に現われたとき、理性はその原因を考え始めるのだ。たとえば、初めて雷を見たら、どうして雷が発生したのかを考える。私の息子は三歳頃に「なぜなぜ期」（何かにつけて「なんで」と聞いてくる時期）が訪れたが、幼児ですら物事の原因を説明するよう要求してくる。大抵の親はこれに参ってしまうが、ここに科学的思考の端緒を見出すこともできる。つまり、理性とは物事の原因を洞察する能力であり、それが科学を可能にしている、ということである。

「なぜなぜ期」を厳密な手続きに従って展開したのが科学だとすれば、科学は人間に何をもたらすのか。一言でいえば、それは、未知の事象の原因を特定し、今度はそこから未来の結果を予測することである。そうして、科学的思考がさまざまな事象の原因を見出すにつれて、私たちは世界をより確実な仕方で制御できるようになる。理性と科学が――そこにさまざまな問題があるにせよ――人間社会の不可欠の基盤になっているのは、その思考がさまざまな事象を制御する可能性にかかわっているからである。

たとえば、地球全体の気温が上昇している。その原因の一つとして、化石燃料の採掘や燃焼による二酸化炭素やメタンの発生が特定される。すると、これらを抑制することができたら、気候変動を鈍化させることができるようになるだろう。この科学の発想が完全に抜け落ちてしまったら、人間社会が現在の水準で維持されないのは明らかである。調子の悪くなったスマホを修理することさえままならない。

ここで重要なのは、科学的主張は、観察や実験によって確かめられる明確かつ堅固な根拠（＝エヴィデンス）に基づいている、という点である。「どうして空は青いの」と聞かれて、「海の青さが映ってるんじゃない」と返せば、子どもは納得するかもしれないが、科学者は納得しない（いや、子どもも納得しないかもしれない。「ここに海はないのに、なんでこの空は青いの」とさらに聞いてくる気がする）。つまり、事象を因果的に説明するだけでは不十分で、科学的思考は必ず何らかのエヴィデンス、つまり観察や実験に基づくデータの裏付けを必要とするのである。

では、形而上学とは何か。それは、単なる事象の因果関係ではなく――いわば科学の守備範囲を越えて――およそ世界全体の根本原因を把握しようとする。ところがその際、観察や実験という手続きを適用できる範囲には限界があるだろう。たとえば、目に見える自然現象の原因だけではなく、目に見えない精神の自由の根拠をも追求しようとするとき、それを観察や実験で確証することはできそうにない。つまり、世界全体が何であるか、またそこからさらに進んで、なぜ世界がそのようにあるのかを考えようとする場合、自然科学の方法では不十分なのである。形而上学は、人間に経験できないことを問う、と言い換えてもよい。

この事情は、かりに科学が宇宙を統一する物理法則を完全に解明できたとしても、まったく変わらないはずだ。というのも、この場合、どういう法則に則って宇宙が存在しているのかということまでは分かるが、そのような物理法則で宇宙全体が統一されている理由は依然として不明のままだからである。だとすれば、なぜ宇宙がそのような物理法則で統一されているのかについては、科学は何も言えない、ということになる。

ある事柄の原因の原因のそのまた原因の……という無限の推論の果てに、形而上学はその系列の最初にあるはずの根本原因を措定する。それは、世界全体を説明することのできる究極の根源者でなければならない。たとえば、神。この人知を超えた存在者から一切を説明するなら、これが形而上学となる。神があらゆる原因の原因となるわけである。もちろん、神は普通の仕方では経験されない。が、それは理性を満足させるのだ。形而上学が思弁的推論を駆使することになるのは、こういうわけである。

したがって、科学の場合と同様、形而上学において重要な役割を果たしているのも理性である。形而上学もまた、物事の原因を考えようとするからだ。しかし、この形而上学的理性は単に原因を洞察するだけではなく、いわば因果の系列の全体を完結させるために、その原因の原因に向かってどこまでも遡行する理性である。すなわち、観察できる限界を超えて、世界全体の究極原因を追い求めるのだ。目の前の現象から因果の全体性を思い描き、決して経験することはできないとしても、それを完結させるまで満足できず、推論を繰り返す理性である。

ところで、古代ギリシアの哲学者アリストテレスは、物事の原因を四つに分けている。

(一)質料因：物事を構成している材料(物質)
(二)形相因：物事が何であるかを規定する本質
(三)作用因：物事の運動変化の原因
(四)目的因：物事が何のためにあるのかを規定する目的

たとえば、本を例にとってみよう。本は、（一）紙からできていて（＝質料因）、（二）言葉によって何らかの内容が記述されていて（＝形相因）、（三）作者や編集者などがつくっていて（作用因）、（四）生きるうえで有益なことが書いてある（＝目的因）。材料と本質がなければ、本は存在しない。また、本をつくる人や本をつくる目的がなければ、本はつくられない。このように、アリストテレスは物事の原因を四つに分けて考えるのである。

さて、この観点で陰謀論を見てみると、それは、特に作用因と目的因を問題にしていることが分かる。すなわち、陰謀論者は、科学と同じレベルで証示することはできないにしろ、誰かが何らかの目的（意図）を持って、ある現象を引き起こしているにちがいない、と推論するのである。言い換えれば、世界全体を支配しようとする黒幕がいて、その黒幕が――私たちにバレないように――世界に影響を及ぼしている、と形而上学的に想定するのだ。ここでは、フィクサーが神の位置にいる。

ならば、こう言えそうである。陰謀論には、さまざまな事象に原因を探そうとする理性が関与している。だから、陰謀論が提起されると――馬鹿げているとは思いながらも――つい私たちはそれを受け取って、場合によっては、面白いとさえ感じてしまうのだ。陰謀論に内在する因果の構造と私たちの理性の本性とが、いわば思わず呼応する。したがって、陰謀論にはある種の知的興奮がある、と言えるのかもしれない。

ところが、陰謀論は万人に確証されうるエヴィデンスを示さない。ここが科学と根本的に異なるところである。世界全体を支配する黒幕の存在という想定は形而上学的であって、陰謀論はあらゆる事象の背後にある根本原因を措定しているにすぎない。世界全体を手中に収めようとしている形而上学の神と陰謀論の黒幕は、それを直接経験的に確かめることはできないという点で、近しいものである。

とはいえ、形而上学的理性を徹底するならば、陰謀論を広めようとする何者かの陰謀、すなわち陰謀のそのまた陰謀があるはずで、私からすると、陰謀論の理性は、形而上学的理性に比べ、やはり怠惰だと言わざるをえない。神ですら、その存在の根拠を問われることもある。何らかの陰謀を企む具体的な人や組織であれば、なおさらそうであろう。形而上学的に突き詰めるなら、その黒幕の存在の原因、その陰謀の陰謀がさらに措定されてもよい、ということだ。だから、陰謀論の大胆な想定に一定の面白味があっても、そこにあるべき形而上学的完成はないのである。

陰謀論を楽しんでいる分には何の問題も生じない。しかし、ポスト・トゥルースの世界観の中で、この根本仮説を信じてしまうと、それは大きな問題である。というのも、陰謀論は容易（たやす）く政治利用されるし、何よりもその独断的仮説に身を任せてしまうことで、〈私〉は〈私〉の直観の内実を深く吟味しなくなるからだ。では、陰謀論を事実とみなしてしまうのは、一体、どういうわけなのだろうか。つぎに、ヒュームと一緒にこのことを考えてみよう。

「奇蹟」のヒューム的解明

さて、ヒュームは「奇蹟」の確信成立の条件を論じている。奇蹟の信仰と陰謀論は、にわかには信じがたいことを信じてしまうという点で、同じ構造を持つ。奇蹟の信仰の成り立ちを探ることは、〈私〉を取り戻すことの一助となるだろう。それは、何を根拠に信憑が構成されるのか、という問題にかかわっているからである。以下、「奇蹟について」におけるヒュームの議論をまとめてみたい。

この論文のテーマは、聖書における奇蹟の数々である。たとえば、新約聖書の中では、イエス・キリストは水をぶどう酒に変えたり、嵐を鎮めたり、病人を癒やしたりと、常識では考えられないようなことをやってのける。それどころか、彼は十字架に磔にされて墓に葬られるが、三日目に復活するのである。

ヒュームが注目するのは、これらの奇蹟が使徒たちの証言を通して伝えられている、という点である。その証言を信じる理由は何だろうか。ヒュームによれば、キリスト教の内部で真理だと認められている出来事が使徒の証言に基づく以上、キリスト教の真理［真実性」を保障するための証拠は、私たちの感覚がもたらす証拠より小さい。というのも、「何ぴとも自分の感覚の直接な対象に対するほどの信頼を、彼ら〔使徒および弟子〕の証言に置くことはありえないからである」（デイヴィッド・ヒューム『奇蹟論・迷信論・自殺論』、二一三頁）。

　これを平易な言葉で一般化すれば、こうなるだろう。すなわち、〈私〉が直接知覚した物事が最も信頼できる、そして、他者の証言がそれに勝ることはありえない、と。たとえば、札幌の豊平で一日中大雪が降っているという投稿を目にしたとき、通常それを疑う理由はないので、その内容を事実だとみなす。ところが、自分が実際に札幌の豊平にいる場合、窓の外を見て雪が降っていなければ、その投稿の内容は間違っている、と判断するはずだ。〈私〉の知覚が第一のエヴィデンスであり、他者の証言はいわば第二のエヴィデンスなのである。この順番が逆転することは——何らかの理由で〈私〉の知覚が正常でないという確信を持つ場合を除き——ありえない。

　それに、他者の証言を受け取るためのインターフェイスは、まさに〈私〉の知覚以外にないのだから、何かの事情があって他者の証言を優先させる場合にも、その判断は、結局のところ、〈私〉の知覚に基づいている、と言えそうである。つまりこの場合、〈私〉は〈私〉の特定の知覚や思考を信用できず、それを部分的に他者に委ねているだけなのだ。〈私〉

が〈私〉の認識を全面的に信用できなくなれば、もはや〈私〉に他者からの証言を受け入れる余地は残らない。

だとすれば、奇蹟は、少なくとも何らかの形で、〈私〉の経験と整合性が取れていなければならない、ということになる。〈私〉が直に奇蹟を目にすることはないにもかかわらず、この世界でそういうことが起こりうる、という確信を持つためには、〈私〉の世界経験の規則の中に、奇蹟が収まる必要があるからだ。使徒の証言を読み、自らの経験に照らし合わせて、たしかにそれはありそうなことである、という感触を持てなければ、ふつう、それを信じることはない。

しかし、奇蹟というものは、それが起こりえないから奇蹟なのであって、一般的な世界経験の中に類似の事例を見出すことは難しい。死んだ後に生き返った人を見ることはないし、水をぶどう酒に変えることもできない。では、〈私〉のエヴィデンスと根本的に矛盾することを――しかも他者の証言を通して――それでも信じてしまうのは、一体なぜだろうか。ここに奇蹟の信仰の逆説がある。

ところで、他者の証言を信頼するための一般条件について、ヒュームはこう書いている。

仮に、記憶がある程度まで強靭でなかったとすれば、人々が一般に真理への傾向および廉潔の原理をもたなかったとすれば、虚偽を発見されたときの恥辱に敏感でなかったとすれば、繰り返していうが、これらのことが人間本性に内属している性質として経験によって発見されなかったとすれば、われわれは人間的証言に最小限の信頼さえ決して寄せなかったことであろう。（同書、六頁）

他者の証言の信頼を可能にする条件とは何か。人間の記憶がある程度まで確かであること、真理を求めること、心や行為が正しいこと、嘘がばれたら恥ずかしくなること……。ヒュームはいくつかの条件を挙げている。ここで注目すべきは、これらの性質があくまでも〈私〉の経験の内側で発見されている、ということである。

たとえばもし、これらの性質が人間の本性である、と、どこかの教科書や聖典に記載されていたとしても、〈私〉の経験の中にその性質を見出すことができないなら、他者の証言を信頼する条件にはならない。他者の証言を信頼するために人間が持っていなければならない性質がいくつかあるが、それらは経験的に発見されている、ということが重要なのである。イギリス経験論のヒュームは、（直接）「経験」にすべての認識の根拠を置くのだ。

すると、こうなる。〈私〉の世界経験の中に類似の事例がなくても、他者（使徒）の証言を信じるための条件が、〈私〉の経験の内側で充たされていれば、彼らが語るイエスの奇蹟を信じることはできる。自分が実際に経験していなくても、この人の言うことなら信用できる、という内的確信を自らの経験に基づいて持てれば、奇蹟を信じるようになる、ということである。それでは、使徒の証言は、そういう性質を持ち合わせているだろうか。このことを明らかにするため、今度は逆に、他者の証言を信頼できない場合を考察してみよう。ヒュームは、次のように述べている。

われわれは、目撃者が相互に矛盾する場合、いかなる事実の問題に関しても疑念を抱く。そして、彼らがわずかしかいない、ないしは疑わしい性格であるとき、彼らが彼らの主張する事柄に関して利害をもつとき、彼らがその証言を躊躇しながら伝えるとき、あるいはその逆に、あまりにも強烈な断言調でもってそれを述べるとき、これらの場合も疑念を抱く。そのほかにも、たくさんの同種の個別的な事情があり、それらが人間的証言に由来するすべての論証の力を減少させたり、あるいは壊滅したりしうるのである。

（同書、七頁）

この言い分には、一定の説得力がある。他者の証言を信頼できなくなる条件とは何か。たとえば、ある事象について矛盾する複数の証言があるときや、ある事象に利害関係を持つ人が証言しているとき、私たちのほとんどは、その証言を怪しいものとみなす。では、奇蹟の場合は、どうか。それは、いかに語られ、広められているだろうか。また、奇蹟と証言者はどういう関係にあるのか。これらのことが明らかになれば、奇蹟が信頼に値するのかは分かるはずだ。

ところが、奇蹟は、少数の選ばれた人間が語る通常の世界経験（＝自然法則）と矛盾する出来事である。さらに、奇蹟を語ることは布教活動と固く結ばれているので、奇蹟と証言者の間に利害関係もある。それゆえ、**直接経験の不可能性**に鑑みても、**他者の証言に対する不信の一般条件**に鑑みても、奇蹟を信じるのは**どこかおかしい**、ということになる。にもかかわらず、一定の人びとに奇蹟の証言は信じられている。なぜだろうか。

> それどころか、何かがまったく不条理で奇蹟的だと言明されると、心は、本来その事実のあらゆる権威を破壊するはずの事情そのもののゆえに、そのような事実をいっそう容易に容認するのである。奇蹟から生じる驚愕と驚嘆の情念は、一種の心地よい情緒なので、この激情が由来するもとであるこのような出来事の信仰〔信念〕へと向かう感覚的な傾向を与えるのである。そしてこのことはさらに遠く及んで、その結果この〔奇蹟の産み出す〕快楽を直接に享受できない人々や、自分たちが知らされたこの

ような奇蹟的出来事を信じえない人々さえもが、間接的にあるいは反動によって、そうした満足感のおすそわけに与ることを好み、他人の驚嘆を喚起することに自尊心や喜びを見いだすのである。（同書、一一二頁）

〈私〉の世界経験の中ではまったく起こりえないことが語られると、理性はその蓋然性を低く見積もるが、情動は驚きの快楽で充たされる。その快楽が、理性の判断を差し置いて、ありえないことを信じさせる、というのだ。しかも、それだけでは終わらず、他者の心に驚きの念を喚起する行為も喜びを呼び寄せるので、今度はメッセンジャーとなって、それを広めようとするのである。奇蹟を共有し、相手の驚き顔を見て嬉しくなるのだ。こうして、奇蹟の伝聞は、奇蹟を耳にしたときの驚きと、それを伝達する喜びの連鎖として広がっていく。簡単に言えば、ありえないからこそ楽しく、楽しいからこそ広まる、ということだ。

奇蹟の証言者の「雄弁は、その最高度においては、理性ないし反省にほとんど余地を残さない。そして空想や情動にもっぱら呼びかけて迎合的聴衆の心を捉え、彼らの知性を屈服させる」（同書、一一三頁）。経験に基づく理性の判断では、奇蹟は信じがたい。が、理性を狂わせる情動によって、奇蹟への信仰は拡大する。つまり、奇蹟の信仰を可能にするのは、理性ではなく情動の働きである。ヒュームはそう考えるのだ。

陰謀論は理性と情動に訴える

ヒュームの洞察は、陰謀論にも当てはまる。ただし、陰謀論の場合、情動の快楽だけではなく、理性への適合があるのは、先に述べたとおりである。奇蹟とは異なり、それは単にありえない出来事ではなく、ある出来事の作用因と目的因にかかわっている。それゆえ、陰謀論は情動と理性の両方に訴えかける力を持つ、と言ってみることができるだろう。

まず、情動である。ヒュームが指摘するように、奇蹟の証言においても陰謀論においても、〈私〉は誰にも知られていないことを宣伝するメッセンジャーである、という自負と喜悦が、その拡散を加速させる。しかし、注意すべきは、陰謀論のメッセンジャーは、ただ相手を驚かしてやりたいという喜びではなく、むしろ善への意志に突き動かされているようにも見える、ということである。陰謀論を唱える人は、〈私〉は善いことを為している、と思っているふしがあり、善へのコミットメントで得られる喜びをそこに見出せそうなのだ。

陰謀論にもさまざまなバリエーションがあるので、一概には言えないが、象徴的なのは、事象の背後にある力（権力者や権力機関）の存在を指摘する場合である。このようなケースでは、メッセンジャーは世界を攪乱するために、陰謀論を広めてはいない。真面目に陰謀論を信じている人ほど、本質的には、善いことを為したい、という素朴な衝迫に突き動かされているのである。

ブラックボックスになりがちな権力の一端をすっぱ抜き、それを切り崩す。狡猾な権力はその力によって自らの姿を巧妙に隠すから、隠蔽された真実を暴く。陰謀論は権力批判の顔を持つのだ。それは、真実が見失われていく世界の中で、善への意志を具現化するための一つのツールになっている、と言ってもよいだろう。だからこそ、その大胆な仮説を簡単には馬鹿にできないし、場合によっては、そこにある種の正しさの感触が残される。

では、陰謀論と理性はいかに関係するのだろうか。ふつう、ほとんどの人間に確かめることのできない原因は、もはや原因とは呼べない仮説や妄想にすぎない。陰謀論が想定する原因も例外ではなく、いくら愉快な場合があるとはいえ、それが快楽を与えるというだけで、ただちにそれを信じる人は稀であろう。

おそらく実情は逆である。トリガーになっているのはネガティブな情動だ。当該の事象が特定の人間に著しい苦しみや不条理をもたらす場合に、理性はその苦しみや不条理の原因を探そうとする。そうして、ありもしない権力者の意図をでっちあげる。すなわち、苦しみの原因を見つけようとするあまり、理性が原因を捏造してしまうのである。

〈私〉に不幸をもたらした事象の背後に特別な力は働いておらず、それは歴史の偶然の結果にすぎない。〈私〉が経験している不条理は、いくつかの条件が重なった自然現象である。こういう説明は、苦しみや不条理の意味を無化する。というのも、何の意図や目的もなしに〈私〉は不遇に陥ったことになるからだ。

〈私〉の苦しみに特別な意味はない。それは、偶然の戯れの結果にすぎない。無意味な苦しみを抱えて生きるよりは、そこに誰かの悪意＝意図を読み取りたい。そうでもしないと、自分が置かれている不条理な状況や逃れがたい苦しみに納得できない。人は苦しみの無意味さに苦しむのである。この事情が、陰謀論にもう一つの力を与えていると思われる。

しかし、不合理な迷信を甘んじて受け入れる心情や、それを何も吟味せずに拡散する行為は、権力者にとって有利に働く。たとえ本人が権力批判をしているつもりでも、その心的機制そのものは権力者にとって扱いやすいのである。ヒュームが言うように、「迷信は人々を従順で卑屈にし、彼らを奴隷状態に適合させる」（デイヴィッド・ヒューム『奇蹟論・迷信論・自殺論』、六五頁）のだから。

権力闘争に明け暮れている者の立場で考えれば、要は、社会の中にある苦しみや不条理を見つけて、その原因を差し出してやれば、後はメッセンジャーが自動的にそれを拡散してくれる。苦しみの原因は、政治の仇敵や歴史的因縁のある民族に押し付けてしまえばよい。すると、民が自発的に邪魔者を攻撃し排除してくれる、というわけである。

この地点まで来ると、善への意志は、全体主義を後押しする力に反転する。宮台が述べていたように、善きことのために悪を為す、という逆説が成立してしまうのである。だからこそ、いま、フェイクニュースや陰謀論に負けない、普遍性についての新しい考え方が求められているのだ。

ポスト・トゥルースの後で

ポスト・トゥルースの世界観の中で、フェイクニュースや陰謀論が蔓延(はびこ)る。私の考えを言えば、私たちが失ったのは堅固な事実や普遍性への想望だけではなく、本質的には、嘘か実(まこと)か分からない情報を精査するための態度と方法である。それはちょうど、ポストモダン思想があらゆる認識の根拠を相対化し尽くした後、現代哲学が長らく陥っている状況によく似ている。

時代に乗り遅れず、退屈を紛らわせるために情報を集めるが、その行為そのものに退屈を感じてしまうという「退屈の永遠回帰」から抜け出せない〈私〉――。〈私〉は何者なのか、〈私〉は何を欲しているのかをよく見ようとせず、世界にばかり関心を向けることで、〈私〉は〈私〉を世界の側に差し出している。奇蹟や陰謀論は、そういう空っぽの状態になりつつある〈私〉に、善の可能性を示してみせる。つまり、それは権力批判という善のパッケージの一つなのだ。

すべてを「人それぞれ」で済ませていては、暴力に対抗できない。逆に、「善への意志」を闇雲に押し出すだけでは、全体主義の危険が迫る。前者は、他者に対して寛容だが、それは共に生きていくための共通の枠組みをつくれない。後者は、善のパッケージを示しはするが、他者に対して不寛容であり、そのパッケージに共感しない者を蔑み、攻撃性を向ける。第一章で論じた善への意志の行方は、私たちが直面している時代状況にそのまま反映されているのである。

すでに何度も繰り返してきたことだが、私の考えでは、思考の「原理」と世界への「態度」が最も重要である。すなわち、絶対的な正解を置くことなく、〈私〉の意識体験における世界確信のありようを吟味しながら、他者の意識体験との同型性を探り、そこに共通了解をつくっていく。〈私〉の認識の絶対性と有限性を自覚することで、他の〈私〉が同じ条件に立たされていることを理解し、〈私〉が〈私〉を尊重していく。新デカルト主義の核心にあるのは、まさしく思考の原理と世界への態度である。

もちろん、逆に言えば、新デカルト主義は方法原理を提供するだけであって、これを学べば〈私〉のすべてがクリアになる、ということではない。また、善の具体的な内実が明らかになるわけでもない。それは、これから新しいつながりをつくっていくためのスタート地点にすぎない。しかし、どこから始めるのかを間違えないことが、哲学的には非常に重要なのである。

これを高尚で抽象的な理論だとする向きもあるかもしれないが、実際には、とても身近な話題である。たとえば、子どもの教育方針をめぐって妻と口論になる。自分は規律を教えるために叱るべきだと考えているが、妻は子どもの気持ちに寄り添って叱らずに理解することを説いてくる。このとき、規律もしくは共感のどちらかが正しいと思ってしまえば、対立は深まるばかりだろう。

ここで対立のエスカレーションを防ぐためには、あらかじめ正解を置くことなく、対話を持続させなければならない。二人はすべてにおいて対立しているわけではない。たとえば、どちらも子どものことを考えていて、子どもの幸せを大切にしていること、共感と規律は二律背反ではなく、共感的関係の中でルールを教えることもできること、妻と私の険悪なムードは子どもに悪影響を与えること……。冷静になれば分かることでも、自分が正しいはずだという観念が邪魔をするのである。

ポスト・トゥルースの限界と危険性は至る所で叫ばれているが、それを根本的に克服するための原理は、小手先のノウハウではなく、一人ひとりが物事の端緒から深く考えていくことにある。〈私〉の意識体験で確かめられることを、他者の意識体験で確かめてもらうこと——この営みに相互性が生まれたら、それぞれの〈私〉は、自己信頼と自己批判を兼ね備えながら、共に生きていく可能性を探せるようになる。大切なのは、自分にとって考える必要がありそうなときに考えるための準備をしておくことだ。

〈私〉から出発する間主観的な普遍認識の可能性だけが、構築主義とポスト・トゥルースを終わらせることができる。複数の対等な〈私〉が織りなす民主的な共生の手続きを、力は引き裂くことができない。新しい哲学は、力のゲームを加速させる構築主義の先に出なければならないのだ。そして、〈私〉の意識への所与以外に、その開始地点はありえないのである。

　ポスト・トゥルースの現代、私たちは何が正解か分からず、足場のない不安定な場所に立たされている。それは、多くの人にとって、日々を送るうえでの不安にもつながっているはずである。だが、これまでも繰り返し言ってきたように、結局、すべての出発点は〈私〉なのだ。それを見誤ってはいけない。

〈私〉には世界がどう見えているのか。なぜ、自分には世界がそう見えるのか。〈私〉自身に問いかけて、その源流を探っていく。そうして地に足をつけながら、世界の在り方を見つめ、〈私〉の視点から世界を再びつくりあげていくのだ。

第四章　ネガティブなものを引き受ける

確信成立の条件の変容

ここまで私たちは、さまざまな情報をどのように処理すればよいのかを、哲学の観点から考えてきた。新デカルト主義の立場では、すべての情報の意味は〈私〉の意識体験において構成される。それゆえ、情報の妥当性は、究極的には、〈私〉の意識体験でしか確かめられない。

もちろん、他者の体験や証言を取り入れることは構わない。というよりも、すべてを〈私〉の直接体験だけで決めることは不可能である以上、〈私〉の世界確信の中には必ず他者からの間接的伝達の成果が含まれている、と言った方がよさそうだ。最も広い意味で他者を捉えるなら、ここには書物からの伝達、たとえば歴史や学問なども含まれるだろう。

しかし、他者の証言を吟味する際の根拠となるのは、第二章で論じた「反省的エヴィデンス」である。すなわち、〈私〉の意識体験を反省してみて、何度確かめてみても、なるほどそれは確かに疑えないという感触を伴うということが、すべての対象確信を支える不可疑性の根拠となるわけである。他者の直観の内実と私の直観の内実が一致している、ということが確信される場合、もしくは、〈私〉よりも他者の言い分の方が妥当だと確信される場合に、〈私〉は他者の体験や証言を〈私〉自身のエヴィデンスとして獲得するのだ。

それゆえ、他者とのコミュニケーションを通した物の見方の変容は、〈私〉の意識体験における出来事だと言える。他者の体験を追体験し、それを〈私〉の体験と照らし合わせてみることで、対象確信の条件と構造が変わるのだ。つまり、他者の体験は、〈私〉が世界を見ていくうえでの、一つの材料なのである。

たとえば、〈私〉のことを嫌いだと思っている同僚Aがいるとしよう。Aは挨拶もろくに返さないし、話しかけても目を合わそうとしない。理由は分からないが、〈私〉のことが好きではないのだろう。しかしある時、別の同僚Bと話していたら、AとBは同じ大学の出身で、たまにお酒を飲む間柄だということを知る。Bによると、Aは昔からコミュニケーションが苦手で、本当は〈私〉と仲よくなりたいらしい。Bの発案で、三人でお酒を飲む席を設けた。Aと話してみると、いつもと変わらずコミュニケーションは苦手そうだが、いい奴だということが分かった。

この場合、Aについての〈私〉の確信が、Bとのコミュニケーションによって変容している。〈私〉は、Aから受ける直接的な印象によって、Aは自分のことを好きではない、という確信を形成していたが、Aと同じ大学を出ているBの言葉を聞いて、たしかにコミュニケーションが苦手な人はいるし、Bが〈私〉に嘘をつく理由もない、ということから、Aに対する直観の内実を編み変えている。実際にAとお酒を飲んでみると、口下手だがいい奴で、Bの言っていることはやっぱり正しかった、と考えるようになる。

ここで注目すべきは、何らかの条件が与えられない限り、〈私〉の意識は自らの確信を変容させる動機を持たない、ということである。Aについての確信変容の条件は二つである。まず、Bとの会話。これは、Aはコミュニケーションが苦手である、というBからの間接的伝達である。つぎに、三人の飲み会。実際に飲んで話してみて、Bがいい奴であるという直接経験を手にする。そうして、Aは自分を嫌っているという確信が間違いだったことが判明するのである。〈私〉の意識体験は絶対性を持つが、それは硬直しているわけではなく、意識への所与に応じて確信は変わるのだ。

Aその人がどんな人物なのか、ということではなく、どういう条件でAに対する確信がつくられているのか、という視点を持つ。そうすることで、新しい条件が〈私〉の確信を変えていく、ということも見えてくる。つまり、〈私〉の直観の内実は時間的に変わっていくのである。だから、間主観的確信は、互いの確信が変化しながらつくられていくこともあるのだ。

とはいえ、対象確信が生成する現場としての〈私〉の意識の優位は揺らがない、ということには注意が必要だ。〈私〉は――〈私〉以外のものとの関係において――〈私〉の確信を変えているだけで、〈私〉の意識体験を離れていない。ところで、〈私〉の確信が変わりうるのは、〈私〉の認識が有限だからである。〈私〉の認識が完全ではないからこそ、そこに確信が変わるための余地が残されるのだ。有限性が生み出す余白が、他者の体験や証言を受け入れるのである。それは、〈私〉の認識が新しい地平を獲得するための条件なのだ。

だとすれば、こう言ってみることができる。すなわち、事実を裏付ける客観的な基準がどこかにあるわけではなく、それを事実であると確信するのは、〈私〉の意識以外の場所ではありえない、と。しかも、すべての〈私〉が同じ場所に立たされている。逆に考えれば、万人に共有されうる条件を持つ事象が客観的事実と呼ばれている、ということになるだろう。いかなる場合でも、〈私〉の意識体験こそが、思考の出発点たる第一の権利を有するのである。

専門家でも科学者でも、この事情は変わらない。〈私〉の意識体験に対する何らかの所与、すなわち、観察や実験がもたらす知覚所与や、諸々の変数の数学的処理がもたらす妥当所与によって確信を形成し、その確信を論理的－客観的な仕方で――問いや目的－仮説－方法－データ－仮説の証明という一連の作業によって――説明することで、すべての人間が同じように確信できる条件を提示しているのである。

別のデータが出てくれれば、科学者および科学者共同体の確信は変化するし、時には大胆な仮説によって、それまでの前提になっていたパラダイムがシフトすることもある。それぞれの〈私〉の確信の条件が変化することによって、科学者共同体全体の間主観的確信の内実が変化するのだ。

このような発想をとるなら、私たちは、独断主義（形而上学）と相対主義（構築主義）に二極化する問い――主観は客観それ自体を認識できるのか――から離れて、新デカルト主義の問い――いかに上手に間主観的な普遍性をつくっていくのか――に移行することができる。私のいう普遍性とは、コミュニケーションを通して互いの確信の内実を編み変えながら、漸次的に創出されるものなのだ。

ただし、これは、〈私〉の確信をいかようにも操作できる、ということではない。たとえば、私の父が死んでしまったことは事実であり、それはどうやっても動かすことができない。父の闘病、最期の会話、母の悲しみ、葬儀、収骨などの一連の記憶と、札幌に帰ったときに父がどこにもいない実家を見て、私は父の死が事実であることを確信するのである。私の心がこの事実を拒もうとしても、事実は事実の方からその確信の条件を突き付けてくる。つまり、〈私〉にはどうすることもできない、世界の側が提示する確信成立の条件がある、ということだ。しかし、だからこそ、私たちには普遍認識の可能性が残されている、とも言える。変わるかもしれない確信と、変わりようのない確信がある。これらを分かつのは条件の堅さであり、もし誰にとっても動かしがたい条件を見つけられたら、その確信は、主観的確信から普遍的確信へと変わっていくのである。

「迷い」について――対象確信の蓋然性

さて、ここまでの議論で見逃されているのは「迷い」である。いつでもそう簡単に事実、真理、客観、必然などの系列の信憑が形成されるわけではない。この系列は、むしろ学問的判断や生活上の基礎的判断にかかわるものであり、その他の場合、私たちは蓋然性や不確実性の中を生きざるをえない。簡単に言えば、私たちが生活世界やサイバースペースで直面する事象は、それが何なのかよく分からない場合や、うまく答えを出せない場合も多い、ということだ。

いま、目の前にリンゴがあるかどうかを聞かれたら、〈私〉はその事実を簡単に確かめることができる。しかし、サンゴは植物か動物かを聞かれたら、色々と調べてみないと分からない。ましてや、新しく開発されたワクチンを接種することは安全か、原発は再稼働すべきか、死刑は廃止された方がよいのか、といった問いは、〈私〉の意識体験に向かって問い訊ねてみても、専門家や有識者の考えを集めてみても、なかなかうまく判断がつかないはずだ。

たとえば、新型コロナウイルスのワクチンを接種する際、私は、国やメディアからの情報を得ても、自分なりに論文や専門書を読んでも、それを接種すべきなのかがよく分からなかった。もちろん、ワクチン接種の重要性は理解できたが、あまりにも緊急性が高かったので国をあげて接種を推奨していたし、何となくそのリスクが意図的に隠されているような気もした。副反応や後遺症の症例が集まり始めた現在の視点から見れば、あのときの感覚は正しかったのかもしれない、とも思う。

結局、私はワクチンを接種したが、私の中でその理由は二つあった。一つは、両親と子どもの存在、もう一つは、友人の医師たちである。ワクチンを未接種のまま両親に会いに行くのは気が引けたし、当時、次男は妻のお腹の中にいて、長男は二歳だった。私が感染して家族に迷惑をかけたくない、という自分なりの思いがあったのである。もう一つは、友人の医師たちに接種すべきかを聞いたところ、正直リスクがどのくらいあるかは分からないが、いまはこの手段でやるしかない、という返答を得たことである。高校時代、苦楽を共にした仲間たちが最前線で頑張っている。その仲間たちが言うなら、後になって予期せぬ問題が出てきても、私は納得できる、と思えた。

もう一つ、違う例を出そう。父の話である。父は骨髄異形成症候群という難病と一年間闘い、急性骨髄性白血病に移行して死んだ。病気の診断が下ってから、あまり先が長くはないことを、私も母も弟も知っていたし、きっと父も分かっていたと思う。コロナ禍での入院ということもあり、頻繁に会いに行くことはできなかった。後半は、会いに行く度、これが最期になってしまうのではないか、との思いが脳裏に浮かび、「さようなら」や「ありがとう」を伝えようとするのだが、もし言ってしまったら本当に終わりになる気がして、治療を続けている父に言い出せない日々が続いた。

日頃、私は何でもよく話す方なので、言葉が詰まるという経験をあまりしたことがない。が、そのときばかりは、言葉がまったく出てこないのである。ようやく「ありがとう」を言えたのは、最期の最後、札幌の病室にいた母から容体急変の電話を受けたときである。もう言葉を話せない父に、何とか振り絞ってこれまでの感謝を伝えた。しかし、父の頭がはっきりしていたときに、顔を見て直接伝えた方がよかったのではないか、というどうにもならない後悔が、いまも心に残っている。

ワクチン接種や父とのお別れの場合、どうしても判断に迷いが出たし、どれだけ考えても「これだ」という納得感は形成されなかった。しかも、調べてどうにかなる問題でもない。ワクチンを接種する直前まで、これでもし私に何かあったら、それこそ家族に迷惑をかけてしまうかもしれない、高校時代の友人たちは自分の言葉に責任を感じてしまわないだろうか、と、自分の判断と行為に迷いを感じていた。父が死んでしまったいまでも、もっと感謝を伝えられたのではないか、という未了の感に、私は苛(さいな)まれている。

先行きが不透明であるにもかかわらず、時間的に切迫している判断というのは、最も難しく厳しいものの一つである。ワクチンを接種しなければならないが、接種したらどうなるか分からない。父に「ありがとう」を言わなければならないが、それがいつ適切な言葉となるのかが分からない。これらは極端なケースかもしれないが、私たちが生きている世界は、こういう不確実性の中での蓋然的判断で溢れているだろう。つまり、どうなるかは分からないし、それゆえ、決定的な正解も存在しない、というものである。こういう場合、私たちは迷子になり、困ってしまう。

　迷いながらの判断だとしても、情報を集めたり何度も考え直したりすることで、その蓋然性を高めていくことはできるが、そのためには、自分が迷子であるという状況そのものを受け入れなければならない。そして、結末は完全には見通せないという事態に耐えなければならない。逆に、迷いがある判断を迷いがない判断へと無理矢理変えたり、蓋然的なものを必然的なものと思い込んだりすることは、ネガティブな事態を直視し、それに耐えていくための力を奪うことになる。

〈私〉は迷子である、ということを是認し、迷いの不安を不安としてそのまま受け止めることは、口で言うほど簡単ではない。大抵の場合、いま自分がどこにいるのかを検索したくなるし、なるべく早く迷いや不安を打ち消したくなるからだ。これは当然の反応だし、進んで迷子になりたいと思う人はいない。

しかし、すべてにけりをつけて、いつも迷いのない生を生きるという発想が、〈私〉を追いつめることもある。うまく答えを出せない〈私〉に自己嫌悪を覚え、生きるのが辛くなってしまうのは、すべてに答えがあると思い込み、それを導き出そうとする〈私〉がいるからなのかもしれないのだ。では、迷いの不安を肯定し、どうにもならない事態に耐える力とは、何を意味するのだろうか。ここで手がかりになるのが、そう、あのエポケーである。

ネガティブ・ケイパビリティとしてのエポケー

ピュロン主義や現象学におけるエポケーについては第二章で論じたが、以下では、その実践的な意義を別の角度から改めて考えてみたい。対象の本性について判断を保留するという態度は、いかなる意味で大切なのだろうか。そして、それはどのような力を陶冶するのだろうか。ネガティブ・ケイパビリティとしてのエポケーを考察しよう。

一般に、判断保留にはマイナスのイメージが付きまとう。たとえば、優柔不断、躊躇、生煮えという言葉は、どっちつかずの判断を非難する言葉である。晩御飯に何を食べたいのかを決められない。二人から告白されて、どちらかを選べない。会社のプロジェクトの方向性を決められない。

いつまでも決断できない、うじうじした人よりも、責任を引き受けて決断できる主体的な人の方が、家庭や恋愛や会社では重宝される。つまり、「答え」を出せる人は、そうでない人よりも価値がある。これが広く共有されている一般通念だし、この忙しない社会が求めてくる価値観でもある。

生活や仕事の中にさまざまな問題を発見し、限られた時間の中でそれを迅速に解決していく能力がなければ、この社会ではやっていけそうにない。一言でいえば、「問題解決能力」である（受験や就活でよく耳にする言葉だ）。新デカルト主義の本質洞察も、「〜とは何か」という問いを立てて、対象の本質を意識体験に照らして観取していく、いわば生産的かつ創造的な能力なのだから、それは一種の問題解決能力である、と言えそうだ。

しかし、本質洞察に不可欠なエポケーは、新デカルト主義にもう一つの光を当てることになるだろう。これまで論じてきたように、エポケーは、感受性や価値観の差異を相互承認したり、独断的な理説の対立を避けたりするために有用だが、これらに加えて、エポケーは「ネガティブ・ケイパビリティ」を育てるのだ。これは、答えの定まらない状況に耐える能力を意味する。このことは、つまり、本質洞察と合意形成の過程に、判断の迷いや答えの出ない不安に耐える段階がある、ということでもある。

ネガティブ・ケイパビリティという言葉は、イギリスの詩人ジョン・キーツが最初に用いたと言われているが、現在、精神医学を中心にさまざまな領域で注目を集めている概念である。本質を洞察したり、問題を処理したりする能力が「ポジティブ・ケイパビリティ」（問題解決能力）だとすれば、ネガティブ・ケイパビリティは、簡単に答えを出したり、処理したりすることのできない事態を直視する能力だと言っていい。

私は、この概念を、小説家で精神科医の帚木蓬生の仕事から学んでいる。以下、帚木の議論のポイントをなるべく簡潔に取り出すことで、エポケーとネガティブ・ケイパビリティのつながりを示してみたい。問題解決能力を重視する現代教育の問題点について、帚木はこのように書いている。

> 問題解決が余りに強調されると、まず問題設定のときに、問題そのものを平易化してしまう傾向が生まれます。単純な問題なら解決も早いからです。このときの問題は、複雑さをそぎ落としているので、現実の世界から遊離したものになりがちです。言い換えると、問題を設定した土俵自体、現実を踏まえていないケースが出てきます。こうなると解答は、そもそも机上の空論になります。
>
> （帚木蓬生『ネガティブ・ケイパビリティ』、一八六頁）

たとえば、私たちはテストに慣れている。テストでは制限時間内に、効率よく正確に問題を解く能力が問われる。そのためには、出題されている問題の内容を的確に把握し、それをなるべくスマートに解くことがよしとされるだろう。ところが、このような習慣が絶対化されて、問題設定と問題解決を急ぐあまり——いつの間にか「強迫観念」にさえなって——目の前にある生身の事象を歪曲してしまえば、それは、現実にはありえない問題に対して、机上の空論をひたすら展開していることになりかねない。

もちろん、ポジティブ・ケイパビリティが必要になる場面はあるし、それを否定しているわけではない。だから、私たちも本質洞察を学んできたのである。しかし、ここで注意すべきは、生のさまざまな場面で遭遇する問題には、「答え」が一つに絞れないものもある、ということだ。それどころか、「問い」すらまともに立たないことだってあるだろう。きれいに問いを立てて、それを手際よく解くことに慣れすぎてしまうと、そうではない種類の問題に遭遇したときに立ち行かなくなるのだ。

たとえば、配置換えで気の合わない上司と同じ部署になったとしよう。ここで「気が合わない上司と一緒に仕事をするにはどうしたらよいのか」とＧｏｏｇｌｅや生成系ＡＩに訊ねて、いくつかの有用なアドバイスを引き出すことは可能である。しかし、人間関係はケースバイケースなので、これを実践すればすべてがうまくいく、という方程式は存在しない。こういう場合に必要なのは、むしろ距離感の調整に耐える力や、うまくその場をやり過ごす力になってくるはずだ。それは、ネガティブな状況に耐える能力である。

もう一つ例を出そう。最近、何となく気分が重くて、調子が悪い。しかし、その原因が分からない。心療内科を受診して薬をもらい、それを飲めば少しは落ち着くが、こんなことを続けていて大丈夫なのかと考えてしまう。仕事を休んでしまうこともある。迷惑がかかるような気がして、家族にはうまく言い出せない。何をすべきなのかも分からないし、こうなった原因も思い当たらない……。

すべての問題に模範解答が用意されていて、それを急いで導き出すことだけに慣れてしまうと、そうではない種類の問題に出会ったとき、孤立してどうにもならなくなるのだ。精神科医の帚木は、多くの精神疾患の患者と向き合う中で、患者にも自身にもネガティブ・ケイパビリティが必須である、ということを実感するようになった。心の病を簡単に治す方法はないからである。

ところで、ネガティブ・ケイパビリティに精通して、どうにもならない事態にひたすら耐えることに、何か積極的な意味はあるのだろうか。そもそも、人は生まれながらに知ることを欲する（アリストテレス）のではなかったか。アリストテレスが正しいとすれば、答えを求めるのは人間の性である、とさえ言えそうである。

しかし、そうであるからこそ、私たちは問題解決能力に囚われている、という見方も可能である。とにかく急いでけりをつけなければならない、という衝迫は、どうしようもない状況に対して無力なのだ。それどころか、その強迫観念が内向することで、うまく答えを出せない〈私〉自身を責めることにもなりかねない。そこで必要になるのが、まさにネガティブ・ケイパビリティにほかならない。帚木はこう書いている。

> ネガティブ・ケイパビリティは拙速な理解ではなく、謎を謎として興味を抱いたまま、宙ぶらりんの、どうしようもない状態を耐えぬく力です。その先には必ず発展的な深い理解が待ち受けていると確信して、耐えていく持続力を生み出すのです。
>
> （帚木蓬生『ネガティブ・ケイパビリティ』、七七頁）

ネガティブ・ケイパビリティを行使するとは、どうしようもない状況から逃げることを意味しない。逆に、どうしようもない状況に立ち向かうことでもない。判断保留は逃げることでも立ち向かうことでもないのである。それはいわば、両方から距離を取る能力だからだ。謎を謎として、不安を不安として、迷いを迷いとして、そのまま持ちこたえ、その先の新しい展開の可能性のために態度を保留する。ポジティブ・ケイパビリティでは対処できない事態を、ネガティブ・ケイパビリティは耐え抜こうとするのだ。

対話とネガティブ・ケイパビリティ

別の観点から見てみよう。物理学者のデヴィッド・ボームは「ダイアローグ」（対話）における判断保留の必要性について、こう述べている。

どんなグループにおいても、参加者は自分の想定を持ち込むものだと、ここまで述べてきた。グループが会合を続ければ、そうした想定が表面化してくる。そこで、このような想定を持ち出さず、また抑えもせずに、保留状態にすることが求められる。そうした想定を信じるのも信じないのも禁止だし、良いか悪いかの判断をしてもいけない。…（略）…腹の立つ相手を、今度は表立って侮辱しないだけでなく、心の中に生まれた侮辱の気持ちも保留状態にするのだ。

（デヴィッド・ボーム『ダイアローグ』、六八頁）

グループで対話をすると、参加者は必ず「想定」（自然に身についた物の見方や世界観）を持ち込んでくる。たとえば、人は利己的だ、というのも一つの想定だし、反対に、人は利他的だ、というのも一つの想定である。政治家は嘘しか言わない、金持ちはろくでもない、哲学者は気難しい、マルクス主義は全体主義である、子どもには規範を教え込まなければならない、男であるからには男らしくすべきである……。私たちは、生まれ持った性質や育ってきた環境によって、さまざまな「想定」を当たり前に正しいと信じるようになる。

さて、ボームによれば、判断保留とは、このような想定を持ち出しも抑えもしないことである。〈私〉と他者の想定を肯定もしないし、否定もしない。たとえ腹の立つことを言われて、相手を侮辱したいと思う気持ちが沸いてきたとしても、その情動をも保留状態に付すべきだ、というのである。

しかし、そうすることで、何が生まれるのだろうか。ボームはそれを思考の「自己受容感覚」と呼ぶ。自己受容感覚とは、思考が思考自身の動きに気づき、そこに潜む意図や結果、また思考によって喚起される情動を観察できるようになることを意味する。現象学的に言えば、意識体験で生じている思考や情動の動きをよく見る、ということだ。言い換えれば、それは自己対象化の能力だと言ってよい。

たとえば、こういうことだ。すなわち、〈私〉は腹の立つことを言われて、相手を侮辱したいと考え始めており、それと一緒に怒りの感情が心に現われてきている。これで相手を侮辱すれば、一時的には気分がすっきりするだろう。しかし、この対話のグループは終わってしまう……等々を、冷静な観察者として内省するのである。

ところで、ここで注意すべきは、判断保留は思考や情動を抑止することではない、ということである。それらは括弧に入れられているだけで、消えたわけではない。無理に抑えようとすればするほど、逆に、〈私〉は歯止めのきかない思考や情動の波にさらわれてしまうだろう。だから、それらをそのままの状態にしておく。判断保留は、〈私〉の思考や情動のパターンを把握し、〈私〉の世界構成の条件と構造を見つめるための準備作業なのである。

帚木とボームは、〈私〉にはどうにもならない状況や、さまざまな「想定」を持つ人びとが集まる対話では、答えを導き出すことを第一義とするのではなく、さしあたり判断を保留してみることを推奨している。それは——自然な衝迫や傾向に逆らうのだから——簡単にできることではないが、エポケーとネガティブ・ケイパビリティの密接な関連性を示唆するだろう。つまり、判断保留は、その事態を——ポジティブなものであれ、ネガティブなものであれ——ありのままの姿で受け入れようとする態度なのである。

もちろん、どこかの段階で判断しなければならないときが来るかもしれないし、永遠に判断を保留するのは現実的ではないかもしれない。しかし、とりわけネガティブなものをそのままの状態で直視しようとする視線は、どうにもならない現実や答えの出せない〈私〉の存在を肯定してくれるはずだ。うまく状況を打開できなくても、自分の立場を決められず迷子になっても、まずはそういう事態をまるごと引き取る。このことを可能にするのが、エポケーだと言えるのだ。谷川嘉浩が指摘するように、「ネガティブ・ケイパビリティは、自分こそが迷っているのではないかと自問する力」（谷川嘉浩『スマホ時代の哲学』、一九八頁）のことなのである。

それはきっと、〈私〉に嘘をつかないことでもある。自分を偽って、現実を歪曲して、その場しのぎの答えを出すよりは、〈私〉が置かれている状況を認めた方が、肩の力を抜いて生きられることもある。問題の所在が分からないのが、正当な場面だってあるのだ。そういうとき、ネガティブ・ケイパビリティは、〈私〉に世界との向き合い方を教えてくれるのである。

〈私〉の有限性を再訪する――「弱さ」や「脆さ」について

さて、ここまでは認識論の文脈で、〈私〉の「有限性」という表現を用いてきた。念のため確認すると、これはつまり、〈私〉の見方は必ず一面的である、ということである。しかし、人間の不完全さは認識だけにとどまらない。人間の存在に目を向けてみると、〈私〉の有限性は「弱さ」や「脆さ」として現われてくるだろう。これらの概念はたくさんの意味を含んでいるので、ここでその全体を包括的に論じることはできないが、端的には、〈私〉

が〈私〉を見たときのダメな自分や傷つきやすい自分のことである。

具体的に考えてみよう。たとえば、意志の弱さというものがある。資格を取ろうとして、勉強を始めても三日で終わる。休肝日をつくると決めたけど、結局、毎日ビールを飲んでいる。料理教室に通うのはいいけど、家ではまったく料理しない……。意志の弱さを示す例には事欠かない。笑い飛ばせるうちはまだよいが、多くの物事に対してあまりにも意志が薄弱だと、〈私〉はやっぱり何をやってもダメな人間だな、と、自己肯定感まで低くなってくる。意志の弱さは〈私〉の存在が有限であることを示す典型である。

もちろん、不完全なのは意志だけではない。ダメだとは思いつつ、感情に任せて子どもを怒鳴りつける。力のある人の言うことをつい聞いてしまう。自分の身を守りたいがために、友人の悪口に加担する。やりたくないことから、いつも逃げる。他人の不幸を見て喜んでいる……。人によって、弱さにはさまざまな語感があるだろうが、これらもまた、他者にはあまり知られたくない〈私〉の弱さの一例だと言ってよいだろう。

では、脆さはどうだろうか。まず、物理的な意味での身体があまりにも脆い。風呂にしばらく入らなければ、体中がかゆい。転んだら痛い。地球外に出たら死ぬ。ちょっと無理したら、体の節々がしばらく痛い。だから、毎年、健康診断である。それだけではない。クラスメートの何気ない一言で、もう立ち直れないくらい落ち込んでしまう。恋人にふられて、生きている意味が分からなくなる。人間関係のストレスで体調不良になり動けなくなる……。身体と同じくらい、心も脆いのだ。

　それに、生と死の運命は、人間の脆さのシンボルである。病や老いを避けることはできないし、それはしばしば決定的な仕方で人間を壊す。人間が脆さを含んでいるからこそ、〈私〉は殺されうるし、他の〈私〉を殺しうる存在でもある。運よく同胞に殺されないで済んでも、いつかどこかで必ず死ぬほかない。人間社会は死にゆく者たちの共同体であり、その存在にはひどく脆い部分があるのだ。

　このような弱さや脆さを表現したいとき、人はしばしば「本当の〈私〉」という言葉を使いたがる。「本当の〈私〉を知らないだけだ」、「本当の〈私〉を分かってほしい」——。他者が〈私〉の限られた一面にだけ目を向けている。そういうとき、〈私〉に内在するネガティブな要素が、そこからこぼれ落ちている。〈私〉は褒められるからこその孤独感を抱くにちがいない。本当の〈私〉を知ってほしいとは、弱い〈私〉や脆い〈私〉を見てほしい、ということを指す場合が多いのである。

　もちろん、私は心理学者ではないので、人間の心の弱さや脆さがどこから生まれてきて、それがいかに自己肯定感を下げたり、コンプレックスを形成したりするのかを分析することはできない。また、弱さや脆さを起点にして、倫理学を打ち立てるつもりもない。

私の興味を引くのは、〈私〉の弱さや脆さ（＝ネガティブなもの）に目をつむることをテクノロジーが可能にし、これらを隠した——もしくは逆に、弱さや脆さを妙に誇張した——〈私〉同士がつくる関係性が、その実在を失いつつある、という点である。平たく言えば、〈私〉とその関係性が確かにここにある、という感じがしないのだ。

しかし、私が言いたいのは、サイバースペースでの関係がどこまでも虚構であり、リアルな関係よりも劣っている、ということではない。このような批判ならありふれているし、本質的な議論にはならないだろう。この類の問題であれば、おそらく技術の進歩が解決してくれるはずだ。むしろ、私の着眼は、対面であれオンラインであれ、ネガティブな要素を避けようとすることで、さまざまな存在の実在性は損なわれてしまう、ということにある。

これは哲学者のマックス・シェーラーの議論から着想を得たことなのだが、一般に、ある対象から受ける「抵抗」や、対象との接触が引き起こす「摩擦」が、その対象は〈私〉から独立して存在している、という実在確信のメルクマールとなる。逆に言えば、あらゆる抵抗や摩擦がなくなり、すべてを〈私〉の思い通りに支配できるようになってしまうと、それはもはや、〈私〉から独立した存在ではなくなるのだ。

たとえば、本やタブレットの知覚像を、意志の力で自由に消したりすることはできないからこそ、それは〈私〉から独立して存在する、ということが確信される。かりに意識体験の中でその知覚像を自由に操作できるとしたら、想像上の本やタブレットと見分けがつかなくなるはずである。それゆえ、〈私〉への抵抗と摩擦が――〈私〉の志向的力能が影響を及ぼせないということが――対象の実在確信を構成する本質条件の一つである、ということになる。

ならば、こう言えそうである。〈私〉の〈私〉に対する自己関係が滑らかになればなるほど、かえってその存在感が薄くなるという逆説的な事態に、私たちは直面することになる。つまり、〈私〉の存在は、〈私〉の意志や力能の範囲を超えたものによって、支えられているのである。たとえば、〈私〉の身体は、姿形を自由に変えられないからこそ、その実在性が確信される。最後に、サイバースペースにおける〈私〉の存在のありようと関連づけながら、このことを考えてみたい。

〈私〉の存在の有限性は、自己意識や関係意識といかにかかわるのだろうか。〈私〉の弱さや脆さから目をそらすことで、人間は何を失いつつあるのだろうか。一言でいえば、ネガティブなものが担うポジティブな役割とは何か。一つずつ、見ていこう。

自己デザイン志向の限界

〈私〉は〈私〉を演出することができる。〈私〉をいかにデザインするか――これを「自己デザイン志向」と呼んでおこう。この発想は極めて人間的なものだと言える。というのも、〈私〉自身を対象化し自己イメージを持てなければ、〈私〉をデザインすることはできないからである。〈私〉がどういう存在であるかを俯瞰して、その〈私〉が他者の眼にどう映るのかを予期できるからこそ、自己デザイン志向は可能になるのだ。

ヨーロッパ哲学が好む言い方をすれば、こうなるだろう。すなわち、人間は——他の動物とは異なり——「精神」を有することで、自己意識を生きる存在になる、と。精神の自己対象化の能力は重要なので、さらに詳しく考察していこう。本書でも何度か登場したドイツの哲学者マルクス・ガブリエルは、精神の特徴をこう説明している。

> 人とのまじわりのなかで、行為やそれについての説明が大きな文脈のなかにどう収まるかをイメージし、そのイメージに照らしあわせて制度を構築する能力だ。人間は、いかなる状況においてもいまいる位置を超え出て、ものごとの連関という、より大きな地図のなかに自分を絶えず置きなおす。われわれは、ほかの人びとがべつの前提のもとに生きていることを踏まえて、自分の人生を生きている。だからこそわれわれは、同類であるほかの人間がわれわれをどう見つめ、現実をどうとらえているかに関心を寄せるのである。
>
> （マルクス・ガブリエル『新実存主義』、七〇頁）

〈私〉は他者とのかかわりのなかで、〈私〉の行為の意味を物事の連関の中で捉えるようになる。別の前提を生きている他者の視線に媒介されることで、〈私〉とその行為が社会の制度にどう収まるかを理解するからである。〈私〉は大きな地図に示される自分の現在地を把握し、その同じ地図の中に存在する他者の現在地にも関心を持つ。そうして、共に生きていくための社会制度を絶えず描き直す。要は、自己意識（自己イメージ）によって〈私〉は社会的存在となる、ということだ。そして、それを可能にするのが「精神」なのである。

しかし、注意すべきは、こうした自己イメージは、一度つくられたら固定されるものではなく、むしろ、他者との持続的なかかわりにおいて、更新され続けるものである、ということだ。他者との新たな関係が、自己イメージを間断なく刷新する。そうであるからこそ、〈私〉と他の〈私〉の共生を可能にするための社会制度を、そのつど必要に応じて、再検討することができる。自己と他者の関係性が生成する限り、自己イメージは変わらざるをえないのだ。

ガブリエルが「人間のあり方は、自分自身をどうとらえるかに本質的に左右される。自分が描いた自画像をふまえて、人は行動するからだ」（同書、七三頁）と言うように、人間の行動は自己イメージに左右される。が、その行動の結果を——他者のリアクションや法制度における妥当性などを——再度、自己イメージに統合することで、よりよい自己と関係性の在り方を模索するのである。

　さて、この弁証法的運動を利用して生まれるのが、自己デザイン志向である。それは、他者の視線を意識しながら〈私〉を演出することで、自己イメージを意図的もしくは無自覚に変えようとするのだ。つまり、〈私〉をデザインする——多かれ少なかれ、じつは誰でもやっていることである。

　たとえば、ファッションに興味がある人なら、服装のかっこよさや美しさだけではなく、それが相手に与える印象をも考慮するだろう。ファッションを変えることで、自己をデザインするのだ。あまり試したことのない系統の服を着て、自分の新しいイメージを発見する。アクセサリーやカバンで気分を上げる。メイクをする人なら、メイクの仕方によって〈私〉の印象は大きく異なる、ということを知っているはずだ。

　それだけではない。あまり意識することはないかもしれないが、私たちは会う人によって少しずつ自己を調整している。第一章で紹介した「分人」を思い出してほしい。家族と休日を過ごす私、友達と酒を飲む私、大学で教える私、駅員さんに乗り場を聞く私、編集者と話し込む私……。どれも同じ私だが、それぞれちょっとずつニュアンスが違う。自己デザイン志向は、誰もが普段何気なくやっていることであり、もしまったくデザインできないとしたら、これは逆に、ＴＰＯをわきまえていない、ということになりかねない。

とはいえ、自己デザインには限度があるだろう。他者の視線をいつも気にして、その利害関係だけに関心を持ち、〈私〉の見せ方を柔軟に変えているとしたら、これはよく言えば「世渡り上手」、悪く言えば「裏表のある人」だ。特に、〈私〉をうまくデザインすることで、他者からの承認や評価を自覚的に勝ち取ろうとしている人は、傍目から見るとあまり信用できない。というのも、その言葉や態度は、何らかの実利に結びついた演出にすぎないのではないか、という疑念がつねに出てくるからである。自己デザインに凝りすぎるあまり、他者からの不信を買っているとしたら、これはある意味では、自己デザインの失敗だとも言える。何事も自然なバランスが肝要である。

では、自己デザイン志向が遺憾なく発揮されるのは、どのような場所だろうか。そう問いを立ててみると、現実世界での諸々の制約に比べて、サイバースペースでは自己デザインが格段に自由かつ容易である、ということが分かる。学校ではシャイで、友達に話しかけられるとすぐにオドオドしてしまう人でも、SNSでは打って変わって強烈な政治批判を繰り広げる。どれだけかっこよく見せようとしても、現実世界の身体には限界があるが、メタバースのアバターは好きなように作り込むことができる。だから、SNSやメタバースは、自己デザイン志向がおのずから優位になる場所なのだ（ただし、メタバースでのアバターが徐々に〈私〉に近づいていく、という興味深い現象もある）。

自己デザイン志向が優位になる空間で生起する承認関係や了解関係は、うまくデザインされた〈私〉同士が取り結ぶものとなるだろう。そして、現実世界の制約を打ち破るこの柔軟な可塑性は、新しい自己意識と関係意識を、それぞれの〈私〉にもたらす。というのも、〈私〉は何者なのかを〈私〉が決められるからである。ここには、ポジティブな可能性がある。

　たとえば、哲学の本の情報をＳＮＳで流し続ければ、〈私〉を哲学好きとして演出することができるし、同じように哲学好きとしてデザインされた他の〈私〉と仲良くなれる。もちろん、ほとんどの場合、実際に哲学が好きな人たちなのだが、重要なのは、他の部分には目をつむって——現実世界で対面したら、声の大きい威圧的な人かもしれない——哲学という一点でつながっていける、ということである。つまり、デザインとデザインが噛み合えば、他の要素は無視できるのだ。ちなみに、私はこのことを基本的によいことだと考えていて、また、楽しいことだとも思っている。

　ＶＲの研究をしている学生がこんな話をしてくれた。ＶＲの世界では、人間だけではなく、蜘蛛や鉛筆になることもできる、というのである。たとえば、蜘蛛になってＶＲ空間に入っていけば、巣を張って蝶を待ち伏せしたりする。鉛筆になったら、誰かの手に持たれて、頭を紙に引きずられるのだろうか。学生によると、現実の身体とはまったく異なる身体性に最初は戸惑うが、VRを体験し続けることで、少しずつ慣れてくるらしい。そうして、徐々に蜘蛛の欲望を生きるようになる、というのだ。

蜘蛛の身体を手に入れることで、その欲望を生きるようになる——これはいわば「メタモルフォーゼの快楽」である。（物理的）身体の変貌によって、欲望が変容する。八本の足を自在に操り、巣に蝶がかかるのを待つ。人間にはない緊張感である。それは「変身」であり、しかも空想の中ではなく、その変容を現に——〈私〉の身体として——体験することができるのだ。身体と欲望の劇的な変化を味わえるなんて、それは〈私〉の新しい存在可能を開いている、と言えるかもしれない。

しかし、〈私〉を自由にデザインするという発想は、〈私〉の存在をよく分からないものにすることでもある。〈私〉の姿形や性格をどうにでも変えられるなら、それはいわば粘土みたいなもので、そこには〈私〉の形象がいつでも自由に潰されて、作り変えられる可能性が伴う。だとすれば、むしろデザインできない部分があるからこそ、〈私〉は〈私〉の存在が確かにそこにある、という手触りを感じられる、とも言えそうだ。

つまり、こうだ。〈私〉の自由にはならないものや、自己デザイン志向が力を及ぼせないものこそが、〈私〉の存在感に一役買っている。その一つが、〈私〉の抱える「弱さ」や「脆さ」なのだ。それは、デザインしきれない〈私〉の存在を指示するからである。

もちろん、新しい自分になろうと努力することは、重要である。〈私〉は変わっていける。誰でも関係性の中で〈私〉を修正しようと試みるし、新しくデザインされた〈私〉によって、楽しく幸せに生きることができるなら、自己デザインは有用なツールとなる。この可能性を否定するつもりはない。認識も存在も変わるのが必然なのだ。

　ところが、自己デザイン志向の自由度が高すぎる空間では、〈私〉と他の〈私〉の境界線は極めて曖昧であり、その空間における承認や了解はうまくデザインされた〈私〉――場合によっては、うまくデザインした〈私〉のこともあるかもしれないが――に対するものである。何よりもそれは、お手軽な変身であり、変わろうとする努力の痕跡を残さない。一言でいえば、どうとでも演出できる複数の〈私〉が取り結ぶ関係性なのである。こうした関係性にはまり込んで、現実世界にいる〈私〉の有限性をいつまでも放っておくなら、〈私〉がどういう存在なのかが分からなくなる。〈私〉の存在の実在性は、自己デザイン志向に対する〈私〉の抵抗とその摩擦に相関するのだから。変身した後でもなお、そこに変身前の〈私〉から引き継いでいるものを見出せるなら、それこそが〈私〉の自由にはならない〈私〉の存在を示唆するのだ。

　デザインの可能性は無限である。先に述べた通り、デザインされた〈私〉になることで、これまでにはない生き方ができるのだとしたら、その「無限性」は実存の新しい可能性を切り拓くだろう。だが、そこにデザインしきれない〈私〉の「有限性」が際立ってこなければ、〈私〉の内実は希薄にならざるをえない。自己デザイン志向が、どこかで〈私〉の有限性に突き当たるからこそ、〈私〉は〈私〉ではないものとの間でバランスを取ることができるのだ。

ならば、自己デザインに限界が見えてきたときには、その地平に〈私〉の存在が現われている、とも言える。あるいは、こうである。すなわち、デザインされた〈私〉同士の関係から抜け出せなくなったときに戻って来るべき場所が、どうにも変えようのない〈私〉の有限性にほかならない、と。

〈私〉には弱さや脆さがあること、すなわち、〈私〉は不完全で傷つきやすい存在であること――サイバースペースはこのことから目をそらし、別様に振る舞うことを可能にする。ところで、言うまでもなく、〈私〉の弱さや脆さを過剰に演出することも自己デザインの一つである。自己デザイン志向が優位になるサイバースペースで過ごしすぎると、〈私〉の輪郭が曖昧になっていくのは、当然の帰結なのだ。

デザインされたつながりが広がれば広がるほど、いわれのない疲労と孤独に襲われるのは、デザインされた他者による、デザインされた〈私〉の了解と承認が意識を埋め尽くして、デザインできない〈私〉の存在が持ちこたえられないからである。しかし、これは、

〈私〉の絶対性と有限性を取り戻す絶好の機会でもある。自己デザインの限界が見えているなら、そこに演出を拒む〈私〉がいるはずなのだから。

アルゴリズムと自己消費──〈私〉が〈私〉を消費する

もう一つ、考えるべきことがある。これまでの議論は、情報を発信する立場での〈私〉の話だったが、ここからは、情報を受け取る側としての〈私〉の在り方も考えてみたい。中心の問いは、〈私〉はSNSで何をしているのか、である。結論から言えば、〈私〉は〈私〉をコンテンツとして消費して／させている。周知のように、SNSは単なるプラットフォームに過ぎず、そのコンテンツはそれぞれの〈私〉が準備しなければならない。仕事の一部始終や現在の興味関心、家族のことや友人のことなどをコンテンツにすることで、〈私〉は〈私〉をSNSに差し出している、と言えるのである。

福田直子『デジタル・ポピュリズム』では、検索エンジンやSNSを運営する大企業がいかに個人情報を収集し、それをビッグデータとして活用しているのか、また、サイバースペースで集められた個人情報が、どのようにして政治の選挙や企業のマーケティングに利用されているのかが詳しく報告されている。

サイバースペースに準備されている優れたアルゴリズムは、購入履歴、検索履歴、レーティングなどのデータを自動的かつ効果的に収集／処理し、それに基づいて嗜好、関心、消費行動を予測する。このようにして、それぞれの〈私〉に最適化されたコンテンツを提供することが可能になるのだ。〈私〉の好みを把握して、それに見合ったコンテンツを表示する、ということである。ちょっと前に検索していたことが広告に出てくるし、購入した商品に関連するものがおすすめされる。つまり、アルゴリズムの側が私たちを見ている、ということになる。

カナダの哲学者マーク・キングウェルは、こうしたアルゴリズムの作用について、次のように書いている。

その進化したアルゴリズムはあなたの検索の質問や友達リクエスト、あるいは買い物の好みなどの形でデータを追跡して集積し、新たな結果を生み出して、驚くべき――あるいは、おそらく恐るべき――正確さであなたの性格を読み取ることができる。ある時点で、アルゴリズムは私が自分を知る以上に私を知ることになる。その大きな理由は…（略）…こうした質問やリクエスト、好み以上のものとして、我々が大事にしている個性的な内的自己というものがあるのかどうか、ますますはっきりしなくなっているからである。

（マーク・キングウェル『退屈とポスト・トゥルース』、八三－八四頁）

何の目的もないままスマホを見て、ふと頭に浮かんだことを検索する。この何気ない行為をしている間も、じつは〈私〉の情報はビッグデータに提供され続けている。そうして、いつの間にか、〈私〉はアルゴリズムの側から〈私〉の欲望を指示されるようになる。〈私〉が何を求めているのかをアルゴリズムは前もって把握し、その限られた選択肢の中から〈私〉は選択させられているのである。すなわち、興味のありそうな商品、サービス、ニュース、画像、動画、人間、コミュニティなどが、アルゴリズムの側から一方的に提示される、ということだ。いわゆる「フィルターバブル」である。

その際、〈私〉にとっての〈私〉が空虚になっていたとしたら、アルゴリズムが示す〈私〉が自分自身の姿なのかもしれない、と錯覚することもあるにちがいない。〈私〉よりもアルゴリズムの方が〈私〉をよく知っている、というわけである。退屈した食傷精神が渇望する動物化や善への意志を、アルゴリズムが具象化してくれるのだ。

つまり、こうだ。〈私〉は〈私〉自身をコンテンツにし、それが絶えず消費されている。しかも、その消費活動に際限はなく、ひっきりなしにコンテンツを生産し、自らを差し出し続けなければならない。ひとたび、それを止めてしまえば、自己デザインの承認ゲームから取り残されてしまうからだ。サイバースペースに果てを感じることはできず、〈私〉はその無限の広がりの中に拡散する。にもかかわらず、〈私〉が何者なのかは、アルゴリズムに媒介されて、無機質にスクリーンに映し出される。こんなねじれた状況から抜け出せなくなっているのだ。

だとすれば、こう言っていいだろう。サイバースペースにあるSNSなどのプラットフォームは、デザインされた〈私〉がコンテンツとして消費される場所である、と。ただし、何度も強調してきたことだが、このことは、SNSやメタバースの存在価値、また、そこでの〈私〉の在り方や関係性を否定するものではない。それは、〈私〉のメタモルフォーゼを可能にする、いわば新しい存在可能の現場でもあるからだ。しかし、基底現実とサイバースペースの間の帰属バランスが崩れ、さまざまな分人をうまくコントロールできなくなると、〈私〉は自分を見失い、それで異様に疲れてくる、ということも疑えない実感としてある。このことを考えていくためのキーワードが、「自己デザイン」と「自己消費」なのである。

ところで、どうして私たちは、こんなにもサイバースペースにのめり込んでしまうのだろうか。第一章で論じたように、その大きな理由の一つは、サイバースペースが「退屈」を打ち消すための動物化と善への意志を準備しているからである。それに加えて、キングウェルは、次のように分析している。

インターフェースの日常体験で最も目立つ点は、電話を見てクスクス笑っていても、一瞬たりとも、あるいは未来の幸福を犠牲にしてさえも、それが満足できるものではないという事実である。スクロールやスワイプをずっとやり続けることは、欲望が満足される可能性自体を否定しているように思われる。むしろ、ここに見えるのはギアの外れた欲望だ。何かを先送りしているときに経験するような、行き詰まりとか停滞の感覚ではない。ニュートラルに入ったままのエンジンが最大限に回転しても、まったく引っ張る力を生み出せないのと同じなのである。

（マーク・キングウェル『退屈とポスト・トゥルース』、六〇頁）

サイバースペースでは、欲望を打ち止めにしない工夫がなされている。次から次へとおすすめが出てきたり、新しい友達が紹介されたり、画像や動画が流れたりしてくる。その流れを止めることはできず、私たちはアルゴリズムに促されるがまま、無限のコンテンツの海をスクロールやスワイプで渡っていく。この欲望は、ニュートラルに入ったままのエンジンに似ているだろう。エンジンだけが回転し続けて、動力を一切生み出さないのである。つまり、欲望が充たされない構造になっている、ということだ。

このような自律的システムの内部にいったんはまり込んでしまうと、〈私〉が何を求めているのかを、立ち止まって反省するのは難しくなる。サイバースペースは、ゆっくり考えるための隙を与えない。自己デザインと自己消費の無限の運動だけが続き、〈私〉は、知らず知らずのうちに、アルゴリズムに淘汰されてしまうのである。

こうして、〈私〉は〈私〉を見失い、何を見たいのか、何が本当に必要なのかをつかめないまま、自己デザインと自己消費を繰り返すことになる。退屈の永遠回帰の完成である。一方では、切り取られ、作り込まれた自己デザインが増殖し、そのデザインされた〈私〉が、不特定多数の〈私〉による承認や批判にさらされる。他方では、サイバースペースに提供している〈私〉の情報から〈私〉を読み込まれ、〈私〉の欲望や関係性をアルゴリズムが見せつけてくる。最も問題なのは、ミニオンズの憂鬱を抱える私たちが、この自己デザインと自己消費のサイクルから抜け出せなくなっている、ということである。

だが、このサイクルから逃れている〈私〉もいるだろう。それこそは、自己デザイン志向が及ばない〈私〉であり、サイバースペースに提供されていない〈私〉の残余である。デザインと消費に抵抗する〈私〉の弱さや脆さ、そして、そこに否応なく生じる摩擦——これらが〈私〉の輪郭のリアリティを描き始めるのである。だからこそ、〈私〉を取り戻すための糸口となりうるのは、時として向き合うのが恐くもなる〈私〉の有限性以外にはないのだ。好むと好まざるとにかかわらず、その弱さ、脆さこそが〈私〉の出発点にほかならない。

「弱いロボット」から考える

コミュニケーションの認知科学と社会的ロボティクスを専門とする岡田美智男は、「弱いロボット」による共生を提唱している。このロボットは、私たちが思い浮かべる、いわゆる〝ロボット〟とは見た目や性格がかなり異なる。ふつう、ロボットは役に立つものである。技術と共に機能が進化して、できることが増えていく存在だろう。典型的には、人間にできないことが、ロボットにはできる、というイメージだ。ロボットが難しいことをやってのけるから、それは人間を助け、社会の役に立つ、というロジックである。

ところが、弱いロボットは、「できる」よりも「できない」に軸足が置かれている。たとえば、壁や家具に衝突しながら、不器用に掃除を進めるお掃除ロボットについて、岡田は、このように書いている。

そもそも、部屋の隅のコードを巻き込んでギブアップしてしまう、床に置かれたスリッパをひきずり回したり、段差のある玄関から落ちてしまうとそこから這い上がれないというのは、これまでの家電製品であれば、改善すべき欠点そのものだろう。

ところがどうだろう。このロボットの〈弱さ〉は、わたしたちにお掃除に参加する余地を残してくれている。あるいは一緒に掃除をするという共同性のようなものを引きだしている。くわえて、「部屋のなかをすっきりと片づけられた」という達成感をも与えてくれる。なんとも不思議な存在なのである。

（岡田美智男『〈弱いロボット〉の思考』、一七頁）

お掃除ロボットの究極形態は、まったく人間の手を煩わせることなく、一人で掃除を完遂する存在である。この観点から見れば、先に描写されたロボットは、発展途上で未熟な形態だと言える。しかし岡田は、このロボットの「弱さ」こそが、私たち人間が掃除に参与する「余地」を残す、と述べる。それどころか、弱いロボットは、一緒に部屋を片付けられたという達成感をも与える、というのである。

たしかに、たとえば神のような存在に対して、手を差し伸べる人はいない。すべてを独力で完璧にやってのけてしまうなら、他者の助けを必要としないからである。周囲の人は、むしろ邪魔をしないように気を遣うばかりで、そこに共同性や達成感は生じない。しかし、これは逆に言えば、完全さは他者が介入する余地を残さない、ということになるだろう。

自分ではゴミを拾えない「ゴミ箱ロボット」、一緒に手をつないで歩くだけの「マコのて」、「む〜むむ〜」としか話さない「む〜」……。岡田が開発するロボットは、どれもユニークで、自分でできることは少ないが、周囲の人びとがつい手を差し伸べてしまう存在である。そして、弱いロボットは、その状況全体（環境や他者）を自然に巻き込むことで――「委ねる」と「支える」の相互性の中で――他者と一緒に行動する存在でもある。人とロボットは持ちつ持たれつの関係にあるのだ。

ここには、面倒なことはロボットに委託すればよい、というアウトソーシングの発想はない。そうではなくて、あえてロボットに弱さを留めることで、そこに人間が関与する余地を残すという、互いの弱さを補完し合うための共生論的な発想がある。弱いロボットを思わず助けてしまうのは、〈私〉が自らの内側に弱さや脆さを感じられる存在だからである。

おそらく、一生懸命やろうとしてできない存在を放っておけないのは、自分の中の類似の体験がそれに呼応してしまうからである。記憶には残っていないとしても、誰もが幼少期には他者の支えを信頼し、そこに身を委ねる。一人歩きするときも、滑り台の階段をのぼるときも、初めて川の中に入るときも、その後ろには、大人がいるのだ。

泣かないで幼稚園の園舎に走っていく姿は、家族や先生の視線によって支えられている。そういう視線の中で一生懸命何かに取り組み、できなかった悔しさやできたときの喜びが、身体の中に溜まっているのだ。脳ではなくて、身体がそれを覚えているのである。だからこそ、弱いロボットの健気さや不器用さを目の前にしたとき、今度は〈私〉がその存在の支えとなりうる、ということを直感してしまう。弱さの感触が、身体に残されているのである。

さて、このような共生的関係は、人間とロボットの間に限定されない。〈私〉と〈私〉の間にも、同じように生じるはずである。すなわち、何事も〈私〉一人でやろうとすると、他の〈私〉が入るための場所がなくなるのだ。行為の責任も自分で負わなければならなくなる。ならば逆に、〈私〉が不完全な存在であるからこそ、そこに他者が関与する余地が残される、と言えそうである。

とはいえ、もちろん、ダメな自分や傷つきやすい自分を開示するのは、安易にやるべきことではないし、誰もが手を差し伸べてくれるわけではない。この世界には、弱さや脆さにつけこんでくる人もいる。端的に言えば、世界には悪意があるので、ネガティブなものをそう簡単にさらすわけにはいかない、ということだ。弱さの開示が強制されてはならないし、それを全員に見せる必要はないのである。

私が言いたいのは、こうである。自己デザイン志向を働かせることで、弱さや脆さを隠すことに慣れてしまい、デザインされた〈私〉同士の関係が〈私〉を埋め尽くしてしまったら、失敗や挫折はその行き場を失う。他者の存在が骨身に染みてくるのは、どうしてもうまくいかなくて、途方に暮れてしまうときである。そういうとき、互いの弱さや脆さがつくりだす余白が失敗や挫折を受け入れ、その緩衝材の役割を果たすのだ。岡田は、こう述べている。

一人で居るととても自由でいいのだけれど、その抱えきれない可能性に疲れることもある。なにをしていてもいいのだけれど、それを一つに絞り切れない……。こうしたときには、ほどよく制約しあう相手が必要なのだろう。一緒に居るというのは、お互いのなかで膨らんだ自由度を減じあう作業でもある。相手に半ば委ねながら、その判断の責任を担わせつつ、こちらでも相手の行動の責任の一端を担ってあげる。これは〈並ぶ関係〉でのグラウンディングと呼べるものだろう。（同書、二四六頁）

たしかに、他者との時間は不自由を伴う。他者が目の前に存在しているだけで、それを黙殺するのは難しいし、そこに何らかのコミュニケーションが発生するからだ。誰かと一緒にいるだけで、〈私〉の自由は制限される。しかし、自由と責任を一人で背負い込もうとするとき、それが生きていく上での重荷になることもある。つまり、自由であるがゆえの憂鬱がある、ということだ。実際、ミニオンズは、彼らを自由にするはずの文明の中で、退屈と憂鬱を感じていた。誰かと一緒にいる、ということは、互いの自由を、いい塩梅に、減じあう作業でもある。ここに、何のために「自由」はあるのか、という問いが立つだろう。

ミニオンズは弱さや脆さを引き受け合いながら、何よりもナカマを大切にしている。ちょっとしたことで揉めるのもしょっちゅうだが、一人でいるのは寂しいし、ミニオン「ズ」として大悪党とハチャメチャを繰り広げる方が、〈私〉の自由にこだわるよりもずっと楽しい、ということを知っているのである。

「強い」存在同士の連帯は頼もしい。ところが、そのコミュニティでは、失敗や挫折、退屈や憂鬱はご法度だろう。かりにそれらが認められていたとしても、そのネガティブな経験を未来の挑戦に活かすことが推奨されているはずだ。強く、キラキラしていて、前向きでいることが、コミュニティのメンバーでいるための必要条件になってしまえば、本当に前に進めなくなったとき、途方に暮れ、居場所を失ってしまう。ましてや、自己デザインと自己消費に振り回される現代社会においては、〈私〉の弱さや脆さを隠さない／消費しない関係をどう確保するのか、ということが、喫緊の課題になるのである。

一方では、人間の力能を超えるロボットやAIとの関係は、社会の生産性を大きく高めるだろう。それは「できない」ことを「できる」ようにする方向性だ。それだけではなく、この技術は、医療や介護など、ケアの領域で実装され始めており、人間の弱さや脆さを支えるという意味で、その発展がますます期待される。しかし、他方では、人間と弱いロボットとの関係は別の方向性を示唆する。それは、「できない」ことを「できない」まま持ち寄って、その弱さを軸にして連帯していく可能性である。このことは、迷いを迷いとして維持するネガティブ・ケイパビリティの発想と重なるはずだ。

〈私〉の弱さを互いに自覚し——ときどきめんどくさいなと思いつつも——他者の生に関与する／〈私〉の生に関与してもらう余地を残しておく。そこに生じるのは、ネガティブなものを引き受け合うコミュニティである。誤解を恐れず言えば、それは、〈私〉が他の〈私〉に干渉する可能性だ。それなりの鬱陶しさもあるが、他者に甘えることが、一定程度、許されている共同体ができるのである。

とはいえ、弱さだけを強調しすぎるのは、フェアではないだろう。お掃除ロボットにできないことが、人間にできる。人間にできないことが、お掃除ロボットにできる。すべてをロボットに委託するのではなく、できることとできないことを、一定の仕方で互いに引き受ける。これはつまり、自由を相互に制限／補完し合う関係である。誰かと関係を取り結ぶ行為は、二人の自由を二人で抱える、ということなのかもしれない。

弱いロボットというユニークな発想の中には、負の要素を単に否定して消し去るのではなく、それらの承諾と引き換えに、〈私〉の生に他者が入ってくるためのゆとりを持たせるという、人間関係論への深い洞察が隠されている。そして、これは、自律や自由を要求され、サイバースペースに依存を深めつつある現代社会でこそ、光が当てられるべき考え方である。ネガティブなものを引き受ける——それは、〈私〉の弱さや脆さを他の〈私〉に引き受けてもらい、そこから新しいつながりをつくっていくことでもあるのだ。

つながりの「実在」を感じるための条件

人間関係には、摩擦がつきものである。すなわち、生理的に合わなかったり、言葉を間違ったり、相手を傷つけたりする。時には、取り返しのつかない仕方で関係を破綻させてしまうこともある。では、つながりがそこに「ある」とは、何を意味するのだろうか。対面とオンラインを対比して、考えていこう。

他者と向かい合うのは、それなりに大変なことである。他者の視線や言葉を重く感じることもあるし、何よりも生身の人間の存在感がそこにあるからだ。しかも、簡単には逃げられない。オンラインでなら、カメラを切ったり、音量をゼロにしたり、パソコンで別の作業をしたりすることも簡単だが、対面の場合には、そうはいかない。相手の顔を見なかったり、相手の話を無視して別のことをしたりすれば、それは〈私〉と他者の間に緊張関係をもたらす。もちろん、そんなことが許されるくらい親しい間柄は別である。

それに、対面の関係では匿名になることも許されない。〈私〉は、外面的にも内面的にも具体性を持った存在として、他の〈私〉の前に引きずり出されて、その視線に否応なくさらされる。〈私〉は、まごつき、戸惑い、恥ずかしさを覚え、隠れたい気分になることもある。それでも、パソコンやタブレットで行なうように、現実世界の〈私〉を匿名化することはできない。目の前を流れ続けていく状況に、この〈私〉として、耐えなければならないのである。

ところで、これまでに論じてきた有限性は、脆弱性としても捉えられる。〈私〉に弱さや脆さがある、ということは、〈私〉の心には他者の悪意が侵入してくる脆弱性がある、ということを意味する。それをうまく利用して、いじめてくる他者もいる。逆に、他者の有限性は、〈私〉がその心に土足で踏み込んでしまうリスクである。〈私〉には思いもよらない仕方で、他者を傷つけてしまうことがあるのだ。つまり、それぞれの〈私〉は深く傷つきうる存在である。つながりをつくっていこうとすれば、そこに不穏な要素があるのは確かなのだ。

だから、私たちは、なるべく抵抗や摩擦の少ない関係性を構築しようとする。ネガティブなもの、また、ネガティブになりそうなものが、自分の人生に入ってこないように注意するのだ。他者から感じる対面の圧力をなるべく避ける。見誤って心を傷つけないように、他者との距離感をつねに気にかける。顔を見て話すよりアバターと話す方が、〈私〉と他者の間にクッションがあるみたいで何だか心地よく感じられるのも、対面の人間関係に付きまとう負の要素が軽減されているからである。ただし、サイバースペースでも、いじめや嫌がらせが蔓延っているのは、周知の事実であり、現実世界に比べて、そこがより安全な場所だとは言えない。

　私の主張は、こうである。すなわち、他者からの直接的な視線を避けすぎると、〈私〉にはどうにもならないものや、〈私〉の自由にはならないものを見失う。実際に会ったら、嫌われるかもしれない。素の自分を見せたら、引かれるかもしれない。サイバースペースは、この不穏な予感をうまくかわす可能性を与えるだろう。他者との関係がなめらかになるように、〈私〉をデザインすればよいし、うまくいかなければ、そこから離脱することも難しくないからである。端的に言えば、電源を落とせばよい。

〈私〉と他者のつながりの確からしさは――〈私〉の実在性と同じように――その関係性がもたらす、自分にはどうにもならないものに支えられている。私はそう考える。たとえば、つながりをつくっていく際に直面するネガティブな要素はその典型であり、そういう面倒なものを避け続けるなら、いつまでもつながりを感じることはできない。

　つまり、現実世界でもサイバースペースでも、人間の摩擦とそれを修復しようとする努力の中に、その関係性の深いリアリティが成立する、ということだ。〈私〉という存在の出発点は「弱さ」と「脆さ」であり、そして、他者とのつながりは、突き詰めると、自分ではコントロールできない「どうしようもなさ」から始まる。それを引き受け、受け止めることが関係性の起点になるのだ。

もちろん、ここにはネガティブなものだけではなく、ポジティブなものも含まれている。たとえば、二人が共有する思い出や乗り越えてきた困難、また、関係性が一定の期間持続しているという事実などである。親と口論して仲直りしたこと、先輩と夜の海を見ながら朝までビールを飲んだこと、十年ぶりに息子と冷たい川に入って笑ったこと、腐れ縁の友人がなんだかんだずっとそばにいてくれること――関係性への努力や記憶の持続を〈私〉が勝手に操作することはできない。〈私〉の意志に手向かうからこそ、そこに実在の感触が残るのである。

ネガティブなものだけに注目するのは、私の本意ではないので、ポジティブなものにも注意を促したわけだが、おそらく、ネガティブなものを失えば、その分だけポジティブなものも失われていくはずだ。これはちょうど、もう二度と傷つきたくなくて、かなしみを避けていたら、いつの間にか、心がよろこびをも感じなくなるのと同型である。象徴的には、人間の感情をキャラクター化した映画『インサイド・ヘッド』で、ヨロコビとカナシミが同時にいなくなることだ。そして、じつはカナシミが記憶の実在に深く関与している、ということも示唆的である。ネガティブなものにしかできないこと、換言すれば、ネガティブが果たすポジティブな役割があるのだ。

人間であれば、誰しも嫌なことや面倒なことは避けたい。不快なものを遠ざけようとする衝迫は、すべての生き物が共有する本能的な欲求である、とさえ言えるのかもしれない。ところが、〈私〉と他者の間に生じる人間関係上の抵抗や摩擦を敬遠しすぎると、今度は、他者とのつながりをうまく感じられなくなる。〈私〉の思い通りになる他者は、すでに他者とは言えないからだ。〈私〉は〈私〉ではないものとの関係の中で規定されるのだから、他者が他者でなくなるとき、〈私〉も〈私〉であることを保てなくなるだろう。当然、そこに生じる関係性も曖昧なものとならざるをえない。

とはいえ、新デカルト主義の立場からは明らかだが、弱い自分を本体化してはいけない。どこかに本当の〈私〉がいて、その〈私〉が仮面をかぶっている、と考えるのは背理である。〈私〉の客観がどこかにあるわけではないからだ。およそ関係的なものから独立している、純粋な〈私〉の存在は、単なる幻想にすぎない。そういう〈私〉は、形而上学的に想定された存在なのである。実際のところ、〈私〉はいかなるときも仮面を脱ぐことはできず、そのつどの状況や関係に応じて、少しずつ自動的に調整されている、と言うべきであろう。

この意味で、分人の思想は正しい。何度も述べてきたように、この事情をすべての〈私〉が共有しているはずだ。

ところが、〈私〉を自由に操作できると考えるのも、大きな勘違いである。自己デザインによって、ダメな自分や傷つきやすい自分、人に甘える自分や臆病な自分から自由にはなれない。逆転の発想が必要であり、〈私〉の自己デザイン志向に抵抗するネガティブなものこそ、〈私〉の存在の実在性を構成する本質条件になる、と考えた方がよいのだ。

同様に、〈私〉と他の〈私〉の関係性をデザインする、という発想を進めれば進めるほど、その関係性は〈私〉への抵抗を失う。結果的に、つながりの自立性は消えていく。人間関係の悪臭をきれいさっぱり取り除くと、そこに関係が本当に存在しているのかが、分からなくなるのである。不快を容易に回避しうる関係は、それ以上深まることがないのだ。

別の観点で考えてみよう。なぜ、王様は裸の王様になってしまうのか。それは、王様がすべてを思い通りに支配してしまうからである。万事がうまく運んでいる、と、王様が思っていたら、周囲の人は本音（批判や反対）を言うことはない。だから、王様は自分のことがよく分からなくなるし、臣下の考えや臣下との関係もうまくつかめなくなる。すべてを自分の思うままに動かしうる関係は空疎なものであり、あらゆる人間関係に本来あるはずのリスクや障壁なしには、つながりの深さを感じることはできない、と言うべきなのだ。

何でも好きなことができる王様が、他者から承認されているという感覚をうまく持てないのは、こういうわけである。

このことは、人間とＡＩの関係にも当てはまるだろう。〈私〉を圧倒するＡＩは、ネガティブなものやコンプレックスを引き受けてくれない。そもそも最強のＡＩにコンプレックスはない。むしろ、あの会社が開発したＡＩに比べたら、私なんか駄目で……とか言ってくるＡＩの方が、私は心置きなく関係を築いていける気がする。先ほどの弱いロボットと同じ原理だ。自由で対等な関係とは、互いの強みと弱みを請け合うものなのである。

社会学者の菅野仁は、『友だち幻想』という本の中で、次のように書いている。

> 価値観が百パーセント共有できるのだとしたら、それはもはや他者ではありません。自分そのものか、自分の〈分身〉か何かです。思っていることや感じていることが百パーセントぴったり一致していると思って向き合っているのは、相手ではなく自分の作った幻想にすぎないのかもしれません。…（略）…
>
> きちんと向き合えていない以上、関係もある程度以上には深まっていかないし、「付き合っていても、何かさびしい」と感じるのも無理もないことです。
>
> 過剰な期待を持つのはやめて、人はどんなに親しくなっても他者なんだということ

を意識した上での信頼感のようなものを作っていかなくてはならないのです。

（菅野仁『友だち幻想』、一二八頁）

他者に過剰に期待して、この人は〈私〉のことを完全に分かってくれている、と思い込んでいるなら、それは、他者を他者として見ていないことである。他者との関係を、自分勝手にデザインしているのだから。抵抗や摩擦がまったくない関係というものは、まさに実在しない幻想にほかならないのである。〈私〉と他者の価値観や感受性が、すべて一致することはありえず、それぞれの〈私〉は、それぞれに与えられた絶対性と有限性を生きるしかないのだ。

この菅野の言葉は、友人たちを思い出させる。父が難病にかかり、余命宣告を受けて間もない頃、ちょうど飲む機会があって、久しぶりに楽しい時間を過ごしていた。父のことで暗くなっていた心に、束の間の晴れ間がのぞいた。しかし、私はつい飲み過ぎて、父のことを話してしまい、三十代半ばの男が、楽しい飲み会の席で泣いてしまったのである。すぐに、しまった、と思ったが、友人たちは一気に身を入れて、話を聴いてくれた。

向こうも予期せぬ中年男の涙に驚いただろうが、もしかしたら、いつかの私を思い出していたのかもしれない。誰かの思い通りにならないから、その結末を見通せないから、つながりはそこにあるのだ。この「どうしようもなさ」が他者とのつながりを告げ知らせるのである。

大人になればなるほど、いまここにいる〈私〉の弱さと脆さを隠さなければならない場所が増えてくる。デザインしなくて済む〈私〉を見せられる相手が段々と減ってくる。肩書、責任、役割のようなものに埋め尽くされて、その場にふさわしい振る舞いをするようになる。だから、サイバースペースでも現実世界でも、飾らない〈私〉の分人がいなくなっていくのだろう。

かなり飲んだ後で、もう一軒行きたい、と、友人が言う。私は終電を逃す。最後の店を出て、飲みすぎて泥酔している友人を背負っているとき、なんでこいつのことを運んでやらなければならないのだ、と、思うこともある。財布も出せないから、金まで払っている。でも、こいつとの関係はトータルでプラス。私が泣いても、引いたりしない。この背中の重さが——当たり前だが——生きている人間の重さなのである。私にはそれをどうすることもできない。それゆえ、そこに他者とのつながりを感じることができる。

私が飲みたそうにしていたら、しょうがないな、と、もう一杯付き合ってくれる。これを飲んだら、私は呂律(ろれつ)が回らなくなるだろう。今夜してきた同じ話を繰り返すにちがいない。非合理的かつ不健康な決断である。そうやって、迷惑をかけたことは数知れない。それでも、懲りずにまた飲んでくれる。すべてを綺麗に済ますことはできない。だからこそ、私と友人がつくる場は確かにそこにある。そういう確信をそれぞれの〈私〉にもたらすのである。

結語

さて、私たちが描いてきたのは、一方では、絶対かつ有限な〈私〉の認識を持ち寄り、本質洞察によって普遍性をつくっていくこと、もう一方では、弱さや脆さを抱えた複数の〈私〉が、ネガティブ・ケイパビリティによってどうにもならない事態に耐えながら、〈私〉とつながりの感度を取り戻していくことである。言うまでもなく、これら二つのことは重なっている。新デカルト主義は〈私〉の哲学だが、それは、認識論的にも存在論的にも、他の〈私〉に開かれているのだ。

構築主義が助長するポスト・トゥルースの世界像は、〈私〉の意識の絶対性と有限性から出発して、複数の〈私〉が普遍性をつくろうとするとき、終わりを迎える。善の定型として、多様性を一つ覚えに語るだけでは、本来、普遍的理念であるはずの多様性までもが相対化されてしまう。**多様性は普遍性に基礎づけられている**。このことを一人ひとりの〈私〉が意識体験において確証するとき、ポスト・トゥルースこそが、文字通り、真実からかけ離れていたという時代認識が、普遍的確信としてつくられていくだろう。いま、哲学の潮目が変わろうとしているのだ。

とはいえ、この活動は簡単に進んでいかない。私たちは、共通了解を合意として創出するために、一見すると、どうにもならなそうな状況に対して、答えを出すことも、答えを諦めることも、ともに差し控える能力を身につけなければならない。そうして、言論を成熟させるための「時間」を生み出すのである。何かと決着をつけたがる人間にとって、それは存外難しいことだ。

うまく合意が取れず、先行きが不透明になったとき、善への意志を満足させるパッケージに〈私〉の有限性を引き渡せば、心は楽になるかもしれない。が、その分だけ、〈私〉とつながりの確からしさは、フェイクとデザインの波にさらわれていく。さまざまな角度から、ネガティブなものの意味を再考し、それが人間の生に果たす役割を言語化する必要があるのだ。

ワクワクすること（動物化）やよいこと（善への意志）を渇望すると、〈私〉の視線は外側の世界に向けられがちである。何か楽しいことはないだろうか、よい社会の基礎になる思想はないだろうか……。こんな具合である。ところが、世界への依存が高まっていくと、今度は、自己デザインと自己消費の円環から出てこられなくなる。それはつまり、退屈の永遠回帰の完成でもある。

こうして、〈私〉の輪郭は失われていく。〈私〉の欲望や倫理の形がますます分からなくなり、自分が何を求めているのかを世界の側から教えられる、という逆説に直面することになるのだ。〈私〉と世界は自由に操作できる、とする哲学や世界観を打ち破らない限り、二つの実在は失われるほかないのである。

新デカルト主義の提案はシンプルである。それは、〈私〉の内側に視線を移すことだ。まずは、〈私〉を取り戻す。ところでしかし、〈私〉の回復は、世界の回復でもある。意識作用と意識対象は相関していて、〈私〉の内面をよく見ることは、そこに与えられている世界をよく見ることを意味するからである。したがって、〈私〉を取り戻す哲学は、世界を取り戻す闘いでもある。

〈私〉の意識体験に与えられている情動や欲望の状況、対象確信の条件や構造、〈私〉の思考の間主観的な妥当性を反省して確かめてみる。そして、他の〈私〉も、絶対性と有限性という点では、同じ条件に置かれていることを洞察し、そこにすべての〈私〉への尊重を育む。おそらくこのことが、人間と社会の最も根底に敷かれるべき「よさ」なのである。

私が本書全体を通して言いたかったことは、これである。

そう考えてみるなら、「よさ」の根拠は、〈私〉の意識体験の中にあることが分かる。私たちは、それをよく見ることから始めよう。そして、他の〈私〉が世界をどう見ているのかを聴こう。〈私〉の自由にならない〈私〉や、〈私〉の思い通りにならない関係性は、それなりにネガティブな要素を含んでいるが、そこに抵抗と摩擦が認められるからこそ、〈私〉とつながりは存在しているのだから。

最後に、改めて言っておきたいことがある。本書では、サイバースペースでの〈私〉の在り方が批判的に検討されてきたが、私は、サイバースペースよりも現実世界の方が大切である、と主張しているわけではない。注意深い読者なら、そう受け取ってくれると信じているが、重要なのは、サイバースペースであれ現実世界であれ、抵抗と摩擦がなくなると、その実在を構成する条件の一つがなくなる、という点である。とはいえ、対象が実在している、と確信するための条件は他にもあるはずだから、抵抗と摩擦は必要十分条件ではない、ということも付記しておきたい。

また、サイバースペースでしか弱さや脆さを吐露できない人もいるだろう。すなわち、それは、現実世界では出せない本音を言える空間でもある。ＳＮＳやメタバースに、切実な思いや生きがたさの表明があることを忘れてはならない。つまり、サイバースペースには、ある種のケアの可能性が用意されているのである。しかし、だからこそ、自己デザインと自己消費の負のサイクルから抜けだすことが難しくもなる。

結局、〈私〉は〈私〉でしかありえない。そして、すべての人が、一人の例外もなく、この同じ条件を共有している。このどうにもならない事実を少しでも肯定するために、私はこの本を書いたのである。

あとがき

次回、ゴジラが世界に現われるとしたら、サイバースペースに上陸するにちがいない。SNSを踏みつぶし、検索エンジンを放射能火炎で焼き払う。アカウントやアバターは、ただただ、その行為を眺めることしかできない。アンチウイルスソフトも、最強のハッカーも無力だろう。相手はあのゴジラなのだ。ゴジラはいつも世界の中心を、いや人間の欲望の坩堝を壊してきた。その現在の場所は、間違いなく、サイバースペースに存在するはずだ。私はゴジラを見るたび、やはり、何の目的もなく、滅茶苦茶に街をぶち壊す姿に心を動かされる。人間にも街にも、リセットが必要なときがあるのかもしれない。

そんなとりとめのない夢想を頭の片隅に置きながら、本書は書かれている。ゴジラが平らにしてしまった世界を目の当たりにしても、いつか〈私〉は欲望を再起動し、世界を取り戻すだろう。ゴジラであっても、〈私〉が〈私〉でしかない、ということを壊すことはできないのだから。何といっても、これが出発点である。

本書の執筆の過程で、多くの方に助けられた。NHK文化センターの講義を受講している服部穂住さんは、現代では善がパッケージ化されている、という優れたアイディアを出してくれた。これは本書の大きな柱になっている。深く感謝したい。

豊橋技術科学大学大学院で私の授業を受講している橋本悠衣さんと村上太一さんは、本書の原稿の一部を読み、率直で鋭い意見を言ってくれた。二人のアドバイスがなければ、サイバースペースで起こっていることの理解は深まらなかったと思う。いつも話を聞いてくれて、本当にありがとう。

友人の桝井大地さんと川端大介さんにも感謝したい。つながりがそこにあるとは何を意味するのかを考えるとき、彼らと過ごした時間が最初の手がかりになった。私の駄目なところを引き受けてくれて、ネガティブ・ケイパビリティを発揮してくれて、ありがとう。

講談社の黒沢陽太郎さんは、企画から校了までのすべてのプロセスで、適切な助言をしてくれた。黒沢さんとは比較的年齢が近いこともあり、私たちの世代の実感を深いところまで議論することができた。黒沢さんを含め、本書を一緒につくってくださった講談社のすべての方に、心より感謝申し上げます。

最後に家族。妻の夏子、息子の和豊と蒼依、それから猫のシェーラー。本書を書いている途中で、私はこれを家庭の中で実践できているのか、と何度も反省した。本のようにはうまくできない私を尊重してくれて、いつも許してくれて、ありがとう。これからも頑張りますので、よろしくお願いいたします。

二〇二三年十月

岩内章太郎

文献

東浩紀『動物化するポストモダン——オタクから見た日本社会』講談社（講談社現代新書）、二〇〇一年
アナス、ジュリア／ジョナサン・バーンズ『古代懐疑主義入門——判断保留の十の方式』金山弥平訳、岩波書店（岩波文庫）、二〇一五年
アリストテレス『形而上学（上）（下）』（全二冊）出隆訳、岩波書店（岩波文庫）、一九五九／一九六一年
岡田美智男『〈弱いロボット〉の思考——わたし・身体・コミュニケーション』講談社（講談社現代新書）、二〇一七年
小川泰治／岩内章太郎「「人それぞれ」発言は哲学対話に何を引き起こすのか」『思考と対話』第五号、二六—三六頁、二〇二三年
ガブリエル、マルクス『なぜ世界は存在しないのか』清水一浩訳、講談社（講談社選書メチエ）、二〇一八年
——『新実存主義』廣瀬覚訳、岩波書店（岩波新書）、二〇二〇年
菅野仁『友だち幻想——人と人の〈つながり〉を考える』筑摩書房（ちくまプリマー新書）、二〇〇八年
キングウェル、マーク『退屈とポスト・トゥルース——SNSに搾取されないための哲学』上岡伸雄訳、集英社（集英社新書）、二〇二一年
國分功一郎『暇と退屈の倫理学』朝日出版社、二〇一一年
斎藤幸平『人新世の「資本論」』集英社（集英社新書）、二〇二〇年
セクストス・エンペイリコス『ピュロン主義哲学の概要』金山弥平／金山万里子訳、京都大学学術出版会、一九九八年
竹田青嗣『欲望論』第一巻／第二巻（全二冊）、講談社、二〇一七年
谷川嘉浩『スマホ時代の哲学——失われた孤独をめぐる冒険』ディスカヴァー・トゥエンティワン、二〇二二年
ダマシオ、アントニオ・R『デカルトの誤り——情動、理性、人間の脳』田中三彦訳、筑摩書房（ちくま学芸文庫）、二〇一〇年

デカルト、ルネ『省察』山田弘明訳、筑摩書房（ちくま学芸文庫）、二〇〇六年
――『方法序説』谷川多佳子訳、岩波書店（岩波文庫）、一九九七年
西研『哲学は対話する――プラトン、フッサールの〈共通了解をつくる方法〉』筑摩書房（筑摩選書）、二〇一九年
ニーチェ、フリードリッヒ『権力への意志（上）（下）』（全二冊）（ニーチェ全集12・13）、原佑訳、筑摩書房（ちくま学芸文庫）、一九九三年
帚木蓬生『ネガティブ・ケイパビリティ――答えの出ない事態に耐える力』朝日新聞出版、二〇一七年
ヒューム、デイヴィッド『奇蹟論・迷信論・自殺論――ヒューム宗教論集Ⅲ』（新装版）、福鎌忠恕／斎藤繁雄訳、法政大学出版局（叢書・ウニベルシタス）、二〇一一年
平野啓一郎『私とは何か――「個人」から「分人」へ』講談社（講談社現代新書）、二〇一二年
福田直子『デジタル・ポピュリズム――操作される世論と民主主義』集英社（集英社新書）、二〇一八年
フッサール、エトムント『イデーンI‐I』渡辺二郎訳、みすず書房、一九七九年
――『デカルト的省察』浜渦辰二訳、岩波書店（岩波文庫）、二〇〇一年
ブラウニング、クリストファー・R『増補　普通の人びと――ホロコーストと第１０１警察予備大隊』谷喬夫訳、筑摩書房（ちくま学芸文庫）、二〇一九年
ボーム、デヴィッド『ダイアローグ――対立から共生へ、議論から対話へ』金井真弓訳、英治出版、二〇〇七年
三木那由他『会話を哲学する――コミュニケーションとマニピュレーション』光文社（光文社新書）、二〇二二年
宮台真司『終わりなき日常を生きろ――オウム完全克服マニュアル』筑摩書房（ちくま文庫）、一九九八年
ラトゥール、ブリュノ『社会的なものを組み直す――アクターネットワーク理論入門』伊藤嘉高訳、法政大学出版局（叢書・ウニベルシタス）、二〇一九年
ラ・ボエシ、エティエンヌ・ド『自発的隷従論』西谷修監修／山上浩嗣訳、筑摩書房（ちくま学芸文庫）、二〇一三年
ローティ、リチャード『哲学と自然の鏡』野家啓一監訳、産業図書、一九九三年

講談社現代新書　2730

〈私〉を取り戻す哲学

二〇二三年一二月二〇日第一刷発行

著者　岩内章太郎

発行者　髙橋明男

発行所　株式会社講談社

東京都文京区音羽二丁目一二―二一　郵便番号一一二―八〇〇一

電話　〇三―五三九五―三五二一　編集（現代新書）

〇三―五三九五―四四一五　販売

〇三―五三九五―三六一五　業務

装幀者　中島英樹／中島デザイン

印刷所　株式会社ＫＰＳプロダクツ

製本所　株式会社国宝社

定価はカバーに表示してあります　Printed in Japan

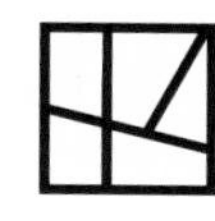

N.D.C. 100　254p　18cm

ISBN978-4-06-534388-3

「講談社現代新書」の刊行にあたって

教養は万人が身をもって養い創造すべきものであって、一部の専門家の占有物として、ただ一方的に人々の手もとに配布され伝達されうるものではありません。

しかし、不幸にしてわが国の現状では、教養の重要な養いとなるべき書物は、ほとんど講壇からの天下りや単なる解説に終始し、知識技術を真剣に希求する青少年・学生・一般民衆の根本的な疑問や興味は、けっして十分に答えられ、解きほぐされ、手引きされることがありません。万人の内奥から発した真正の教養への芽ばえが、こうして放置され、むなしく滅びさる運命にゆだねられているのです。

このことは、中・高校だけで教育をおわる人々の成長をはばんでいるだけでなく、大学に進んだり、インテリと目されたりする人々の精神力の健康さえもむしばみ、わが国の文化の実質をまことに脆弱なものにしています。単なる博識以上の根強い思索力・判断力、および確かな技術にささえられた教養を必要とする日本の将来にとって、これは真剣に憂慮されなければならない事態であるといわなければなりません。

わたしたちの「講談社現代新書」は、この事態の克服を意図して計画されたものです。これによってわたしたちは、講壇からの天下りでもなく、単なる解説書でもない、もっぱら万人の魂に生ずる初発的かつ根本的な問題をとらえ、掘り起こし、手引きし、しかも最新の知識への展望を万人に確立させる書物を、新しく世の中に送り出したいと念願しています。

わたしたちは、創業以来民衆を対象とする啓蒙の仕事に専心してきた講談社にとって、これこそもっともふさわしい課題であり、伝統ある出版社としての義務でもあると考えているのです。

一九六四年四月　野間省一